도시화 이후의 도시

BOOK
JOURNALISM

도시화 이후의 도시

발행일 ; 제1판 제1쇄 2018년 11월 30일
지은이 ; 임동우 발행인·편집인 ; 이연대
주간 ; 김하나 편집 ; 곽민해
제작 ; 허설 지원 ; 유지혜 고문 ; 손현우
펴낸곳 ; ㈜스리체어스 _ 서울시 종로구 사직로 67 2층
전화 ; 02 396 6266 팩스 ; 070 8627 6266
이메일 ; contact@threechairs.kr
홈페이지 ; www.bookjournalism.com
출판등록 ; 2014년 6월 25일 제300 2014 81호
ISBN ; 979 11 86984 88 8 03300

BOOK
JOURNALISM

도시화 이후의 도시

임동우

; 미래 도시는 성장보다 지속에 방점을 찍어야 한다. 살아 있는 도시를 만들기 위한 조건이 사회주의 도시 평양에 있다. 모든 시민이 휴식을 취할 수 있는 충분한 녹지가 있고, 일터와 주거 공간이 한 지역에 공존한다. 도시의 중심부에는 상업 시설 대신 시민을 위한 공간이 들어선다. 모든 시민이 동등한 수준의 삶을 누릴 수 있는 유기적인 도시 공간의 중요성을 살펴본다.

——————————————————————————— 차례

프롤로그   건축가의 눈으로 본 사회주의 도시

평양에 대한 연구를 시작한 것이 벌써 10년 전이다. 당시만 해도 북한을 바라보는 국내의 분위기는 지금과 사뭇 달랐다. 최근 남북 관계에 훈풍이 불면서 북한 주민들의 생활상이나 문화에 관심을 가지는 이들이 많아졌지만, 10년 전의 북한은 위협적인 존재 이상으로 주목받지 못했다. 그러나 북한은 우리가 관심을 갖지 않는 동안에도 빠르게 변하고 있었다. 2002년 7월 1일 경제관리개선조치를 통해 자본주의 시스템을 수용했고, 그로 인한 변화가 나타나고 있었다. 건축가의 눈에는 북한의 정치 체제보다 평양을 비롯한 북한 도시의 변화가 흥미로운 연구 대상으로 다가왔다.

평양에 관심을 가지게 된 것은 하버드 대학에서 석사 과정을 밟던 무렵부터였다. 지도 교수였던 건축가 이브 블라우Eve Blau는 《프로젝트 자그레브Project Zagreb》라는 저서를 통해 사회주의 도시인 크로아티아의 자그레브가 제2차 세계대전 이후 약 45년 동안 어떤 변화를 겪었는지 분석했다. 그의 저술과 전시를 접하며 사회주의 도시의 계보 안에 있는 평양을 연구하기 시작했다.

사회주의 도시는 노동자들의 열악한 생활 환경을 개선할 목적으로 만들어진 개념이다. 사회주의 건축가들은 시민들에게 더 많은 녹지와 공공장소를 제공하고, 지나친 개발의 폐해를 막고자 했다. 공동체를 구축하기 위한 주거 단위도 자본주의 도시의 논리와는 달랐다.

한국에서는 아파트 재건축과 함께 토지를 공적 재화로 보는 토지 공개념이 화두가 되고 있다. 많은 이들이 이 개념에 반발하는 것을 보면 한국은 여전히 도시를 공공의 공간이라기보다 재산 증식의 플랫폼으로 인식하는 것 같다. 더 심각한 문제는 인구가 줄고 있는 상황에서도 한국의 도시는 아파트를 지어서 외형 확장을 계속하고 있다는 점이다.

일본에서는 이미 전체 주택의 20퍼센트가 빈집이고, 2030년대가 되면 그 비율이 30퍼센트까지 늘어날 것이라는 전망이 나온다. 서울을 비롯한 한국의 도시도 예외는 아니다. 일부 지방 도시에서는 이미 빈집 사태가 시작됐다. 서울 외곽에 있는 수천 세대의 아파트 단지가 텅텅 비게 되면 우리 도시는 일본보다 더 심각한 문제를 겪을 수도 있다. 주택의 대부분이 단독이나 다세대인 일본과는 다르게 아파트 의존도가 심한 한국에서는 빈집을 넘어 '빈 단지' 사태가 발생할 수 있다. 일본 정부는 빈집을 사들여 공원 주차장이나 마을 도서관 등을 만드는 방법으로 문제를 해결하고 있는데, 한국의 아파트 단지는 큰 규모 때문에 해결책을 내기조차 쉽지 않을 것이다.

미래의 도시 문제에 대비해 우리가 준비할 수 있는 것은 무엇일까. 인구 감소는 피할 수 없는 문제지만, 학교와 주택, 아파트 단지 내 시설, 상가 등의 유휴 공간을 활용해 자생적인 도시를 만들 수 있는 방법은 있다. 사회주의 도시에서 착안한 '도시 생산 주거Factory for Urban Living'라는 개념이 해결책이 되리라고 기대한다. 미래 도시는 생산에 기반을 둔 커뮤니티 네트워크로 발전해야 한다. 근대 건축의 아버지 르코르뷔지에Le Corbusier는 한 세기 전에 기계 문명 시대의 주거 양식을 이르는 말로 '거주를 위한 기계Machine for Living'라는 표현을 썼다. 기계 문명 시대의 주택은 하나의 기계와 같다는 의미다. 여기서 착안해 도시 생산 주거라는 표현을 만들었다. 생산과 주거 기능이 공존하는 도시라는 의미다.

사회주의 모델을 배워야 한다는 이야기가 불편하게 들릴 수도 있다. 그러나 사회주의 철학은 이미 많은 분야에서 자본주의의 문제를 해결하고, 발전적인 경제 모델을 만들어나가는 데에 일조하고 있다. 건축과 도시 분야에서도 마찬가지다. 개발로 점철된 우리 도시가 어떤 철학과 가치관을 바탕으로 변화해야 하는지, 사회주의 도시의 어떤 요소를 반영하면 더 나은 도시 모델로 성장할 수 있는지를 살펴봐야 한다.

이런 관점으로 평양을 보면 평양에는 사회주의 도시의 이상이 반영되어 있다는 것을 이해할 수 있다. 비록 지난 세기에 그 이상이 실현되지 못했다 해도, 평양에 반영된 사회주의 도시의 특징은 다양한 도시 문제에 실마리를 제공할 것이다.

평양을 연구한 건축가로서 국내외 무대에 북한 도시와

건축을 알릴 기회가 여러 번 있었다. 2014년에는 베니스 비엔날레 건축전 한국관에 아티스트로 참여했다. 건축가 조민석이 〈한반도 오감도〉라는 주제로 남북한의 도시가 분단 이후 근대화 과정에서 어떻게 달라졌는지를 소개했고, 이 전시의 일환으로 북한과 평양의 건축에 대해 연구한 결과물을 선보였다. 한국 최초로 베니스 비엔날레에서 황금사자상을 받은 전시였다. 2017년에는 서울도시건축비엔날레에 참여했다. 평양의 중산층 아파트를 모델 하우스처럼 둘러볼 수 있도록 전시장을 꾸몄다.

북한 건축에 관한 전시는 정보가 부족하기 때문인지 언제나 호기심의 대상이 되곤 한다. 하지만 일시적인 관심보다 중요한 것은 논의의 지속성이다. 다양한 분야에서 의미 있는 작업이 나오고 있지만, 남북 관계가 화해 국면에 들어섰을 때만 주목을 받고 사라지는 악순환을 반복하다 보니 더 깊이 있는 논의가 시작되기는 어려웠다. 이 글이 북한의 도시를 편견 없이 살펴보고 도시의 삶을 고민할 수 있는 계기가 되기를 바란다.

1   산업 도시의 종말

4차 산업혁명과 도시

도시의 역사는 농업의 발달과 함께 시작했다. 우리가 1차 산업이라고 부르는 농업이 발달하기 전에는 도시라고 부를 만한 공간이 존재하지 않았다. 농업이 발달하며 인간의 정주 환경이 만들어졌고, 인간의 수명과 인구가 급격히 늘어날 수 있었다. 우리가 흔히 아는 4대 문명의 발상지는 모두 농업 발달과 함께 등장한 도시들이다. 하지만 당시의 도시가 곧 산업의 중심지는 아니었다. 농업의 중심지보다는 물물 교환이 가능했던 물류의 중심지가 도시로 발전했다. 고대 도시까지 살펴보지 않더라도 우리에게 익숙한 중국의 창안長安[현재의 시안(西安)], 조선 시대의 한양은 행정과 물류의 중심지였다. 사람들이 만나 각지에서 생산된 물건을 거래하는 과정에서 도시가 발달했다.

이처럼 도시는 산업과 매우 밀접하게 연관되어 있다. 한 도시에 섬유 산업을 위한 공장이 있고, 다른 도시에 자동차 산업을 위한 공장이 있으면 두 도시가 서로 다른 건축 구조와 형태를 갖추게 된다는 단순한 의미가 아니다. 도시는 인간의 정치, 경제, 사회, 문화 등을 망라한 결과물이다. 로마에 가서 콜로세움Colosseum을 보면 그 시대에 살지는 않았더라도 당시의 건축 기술은 물론 경제적 상황과 정치 체제를 상상할 수 있다.

우리가 지금 살고 있는 도시의 원형을 만든 것은 산업

혁명으로 시작된 기계 공업이다. 산업혁명 이전까지 전 세계에서 가장 인구가 많은 도시는 기원전 1세기경의 로마였다. 당시 로마의 인구는 100만 명으로 현재 미국 보스턴(68만 명)보다 많았다. 공공 광장인 포룸Forum과 판테온Pantheon 신전, 상하수도 시설과 5만 명 이상의 관객을 수용할 수 있었던 콜로세움은 로마라는 도시의 위용을 보여 준다.

　　로마의 인구가 100만 명이 넘었다는 사실은 인류 역사에서 꽤 중요한 대목이다. 100만 명의 도시를 운영하고 시민의 삶을 유지한다는 것은 쉽지 않은 일이기 때문이다. 조선 시대 한양의 한성부 인구는 초기에 20만 명이 되지 않았고, 1800년대 후반에 가서야 가까스로 40만 명을 넘겼다. 전국의 인구가 700만 명이었던 점을 감안하면 수도 한양의 인구는 그리 많지 않았던 셈이다. 많은 도시 학자는 한양의 기반 시설이 부족했다는 점을 원인으로 지목한다. 도시가 많은 인구를 수용하려면 상하수도 시설이 잘 갖춰져야 하는데, 한양은 인구 40만을 넘겼을 때부터 하수 시설에 과부하가 걸렸다. 청계천에는 매일 처리 한계를 넘어선 하수가 유입돼 주변이 오물 냄새로 가득했다. 200년 전까지 한반도에서 가장 큰 도시의 인구가 50만 명이 되지 못했다는 사실은 2000년 전 로마의 100만 도시가 얼마나 위대한 성취였는지 반증한다. 로마 이후 중국의 창안과 항저우杭州, 베이징北京 등이 번성했지만, 중국을 대표하는 이 도시들도 100만 명 규모로 성장하지는 못했다.

　　로마 이후 100만의 한계를 처음 넘은 도시는 영국 런던이다. 런던은 19세기 초에 인구 100만 명을 돌파하고, 100년이 채 되지 않아 500만 명의 대도시로 성장했다. 그 배경에는 산업혁명이 있었다. 영국에서 시작된 산업혁명은 도시의 모습을 완전히 바꿔 놓았다. 증기 기관차 등 교통수단의 발달이 인구와 물류의 이동량을 늘렸고, 건축 기술은 상하수도 현대화에 기여했다. 19세기 후반부터는 지하철이 운행됐고, 20세기 초반에는 자가용이 보급되기 시작했다. 컨베이어 벨트를 활용한 대량 생산 모델도 이 시기에 탄생한 것이다. 대량 생산으로 부유한 일부 계층뿐만 아니라 일반 시민들도 산업의 혜택을 누릴 수 있게 됐다.

　　생산업이 발달하며 공장이 있는 곳에 노동자가 모였고, 노동자가 모인 곳이 도시로 성장했다. 노동력은 곧 자본의 상징이었다. 더 많은 노동력을 동원할수록 더 많은 부가 쌓였다. 이는 다시 도시 성장의 원동력이 됐다. 우리가 현재 도시라고 부르는 형태는 대부분 산업혁명과 비슷한 과정을 거친 곳이다. 자동차와 지하철이 등장한 것도 산업혁명을 통해서다. 기계 혁명을 통해 발명된 엘리베이터와 에스컬레이터는 도시가 수직으로 상승할 수 있는 기술적 기반을 마련했다. 산업혁명 덕분에 이전에는 상상할 수 없었던 도시가 생겨난 것이다.

디지털 혁명이라 불리는 3차 산업혁명은 도시의 연결을 강화했다. 기존에는 편지로 오갔을 법한 정보가 이메일로 대체되고, 거리의 제약이 해소됐다. 도시 외곽에 살면서 원격 근무를 하는 것이 이상하지 않은 시대가 왔다. 하지만 3차 산업혁명은 도시의 형태에 큰 영향을 미치지는 못했다. 물리적인 형태와 조직을 완전히 바꿔 놓은 이전의 산업혁명과 비교해 보면 3차 산업혁명의 혁신성은 상대적으로 떨어진다. 현대인은 3차 산업혁명 이전의 1960년대 런던에서는 살 수 있어도, 2차 산업혁명 이전의 1800년대 도시에서는 살지 못할 것이다.

4차 산업혁명은 로봇 공학, 인공지능, 사물 인터넷 등을 통해 도시 간 이동 수단의 재편을 예고하고 있다. 이동성의 변화는 인류의 도시에 기차와 지하철, 자동차가 생겼을 때처럼 많은 변화를 가져올 것이다. 자율 주행 자동차가 생긴다는 것은 출퇴근 시간에 운전하지 않아도 된다는 단순한 사실 이상의 의미다. 사람들은 이제 지하철역 근처나 주차가 편리한 아파트에 살 이유가 없어질지도 모른다. 운전할 필요가 없으니 그 시간에 부족한 수면을 보충할 수도, 게임을 하거나 다른 일을 할 수도 있다. 퇴근이 늦어도 주차 공간을 찾느라 헤매지 않아도 된다. 자율 주행 자동차가 주차 공간이 있는 곳으로 알아서 움직일 것이기 때문이다. 지금은 역세권 아파트의 부동산 가치가 높고, 주차장이 없는 주택 단지의 부동산 가치는 낮다. 자율 주행 자동차가 확산돼 이런 가치가 무의미해지면 도시의 형태가 달라지고, 부동산 가치도 재편된다.

유럽의 도시는 운송 수단의 변화에 맞춰 발전해 왔다. 과거 마차가 다닐 수 있는 폭의 도로를 필요로 했던 유럽 도시는 근대화 이후 자동차가 잘 움직일 수 있는 방향으로 도로 형태를 바꿨다. 사람의 이동보다 자동차의 이동성이 중시되는 근대적 개념의 도시가 발달한 것이다. 도심에 왕복 14차선 도로가 있는 서울은 자동차 이동을 기준으로 계획된 도시다. 그러나 빅데이터를 활용하면 4차선이나 6차선만으로 교통 흐름을 원활하게 조절할 수 있다. 결국 도로 폭은 줄어들고, 새로운 도시 공간이 생겨날 것이다.

4차 산업혁명 시대, 도시는 어떻게 변해야 하는가. 새로운 도시의 필요성을 말할 때 빼놓을 수 없는 것이 인간의 삶이다. 건축가의 일은 건물을 짓는 것에서 그친다고 생각하기 쉽지만 사실 그렇지 않다. 건축가의 중요한 역할은 인간의 삶을 읽어 내고, 이를 물리적인 환경으로 구현하는 것이기 때문이다. 기술의 진보는 우리 도시를 외형적으로 변화시키겠지만 궁극적으로 도시가 나아가야 할 방향을 제시해 주지는 못한다. 기술에 이끌려 가는 것이 아니라 기술을 주체적으로 활용해 원하는 도시의 모습을 만들어 가야 한다.

디트로이트와 보스턴

이제는 전화선이 없어도 통화를 하거나 인터넷을 사용할 수 있고, 스위치가 없어도 전등을 켜고 끌 수 있다. 1990년대에 '미래의 도시'나 '미래의 건축'이라는 이름으로 제시됐던 미래 주택의 모습이 많은 부분 일상으로 실현됐다. 그러나 지금의 도시가 1990년대의 도시보다 인간의 삶을 더 풍요롭게 해 주고 있느냐고 묻는다면 그렇다고 대답하기 어렵다. 산업혁명을 통해 도시가 성장하는 동안 숨어 있던 많은 문제들이 불거지고 있어서다. 도시 공간의 불균형, 계층 간의 분리, 도심의 공동화나 사각 지대의 발생 등은 도시가 빠른 속도로 성장하지 않는 탈산업 시대가 되면서 수면 위로 떠올랐다. 세계 여러 도시는 탈산업화로 인한 사회 문제를 해결하기 위해 고민하고 있다. 외적 성장이 없는 도시보다 이런 문제를 해결하지 않는 도시가 더 빠르게 경쟁력을 잃고 있기 때문이다.

산업혁명 이후 도시에 공장이 들어섰고, 도시는 잉여 생산을 통해 새로운 부를 창출했다. 그러나 조그만 골목길에 하나의 우물을 파서 사용하고, 빛이 들어오지 않는 방에서 비좁게 살았던 19세기 도시의 삶은 위생 문제를 일으켰다. 한편 부가 가치 생산을 통해 부를 쌓은 계층은 더 높은 삶의 질을 원했다. 과거의 귀족들이 서민들과 떨어져 성을 쌓고 살았던 것과 달리, 부르주아들은 도시 안에서 넓은 집터를 가지고 새로운 삶을 꾸려 가기 시작했다. 결국 도시 내의 공장은 위대한 생산 기지에서 노동자와 자본가 모두가 불편해하는 애물단지로 전락했다.

여기에 부동산 개념이 확립되고 토지 거래가 활성화되면서 공장은 도시에서 밀려나는 신세가 됐다. 도시가 새로운 모습으로 성장하고 변화하는 것은 항상 있는 일이지만 우리는 변화 기저에 있는 경제 논리를 간과하기 쉽다. 도시의 근대화는 넓은 길을 내거나 새로운 교통수단을 만들고, 더 쾌적한 주거 시설을 확충하는 것 이상의 의미를 지니고 있다. 도시 계획은 토지를 어떻게 하면 합리적으로 사유화할 것인지에 대한 고민이다.

19세기 파리는 불분명한 토지 구획을 정리하고 필지를 나눴다. 당시 토지 계획을 맡은 조르주 외젠 오스만Georges Eugene Haussmann은 도로를 기준으로 필지를 재정비했다. 모든 건물이 도로에 면하고 있으니 건물에도 충분한 빛과 공기가 유입될 수 있었다.

자연스럽게 부동산 가치라는 새로운 개념도 생겨났다. 이전에는 거래의 대상이 아니었던 토지나 주택이 조건에 따라 가치가 달라지는 상품으로 거래되기 시작했다. 부동산 개념은 실제 도시의 구조를 바꿨다. 산업화 초기에 공장은 효율적으로 생산하는 방법만을 고민하면 됐지만, 이제는 공장의 부가 가치가 해당 부지에서 나올 수 있는 기대 가치보다 높아야 공장을 계속 운영할 수 있었다. 이전의 생산 시설은 공업용수를 공급할 작은 규모의 관개 시설과, 생산된 제품을 기차에 실어서 운반할 수 있는 정도의 물류 시스템만 있으면 충분했다. 하지만 생산량이 늘면서 추가적인 공장 부지와 공업용수, 물류 시스템이 필요했다. 도심에서는 이런 조건을 갖춘 부지를 찾을 수 없었다.

산업화의 광풍이 지나간 공장 지대는 개발 대상으로 전락했다. 18세기 후반부터 서인도와의 교역을 통해 발전한 런던의 대표 항만 지역 도크랜즈Docklands는 1960년대 물류 방식의 변화와 탈산업화로 고전하다가 1967년 항만 폐쇄로 몰락했다. 1980년대까지 도시 면적의 60퍼센트에 달하는 항만을 방치했던 런던은 새로운 산업을 유치하겠다는 목표로 도크랜즈 개발 프로젝트를 시작했다. 도크랜즈는 런던의 새로운 성장 동력으로 부상했지만, 지역 내 생산 기능은 사라지고 서비스 산업이 그 자리를 대체하고 있다.

미국 디트로이트의 사례를 보자. 디트로이트는 세계적인 자동차 회사 제너럴 모터스General Motors와 포드Ford의 고향으로 잘 알려져 있다. 디트로이트의 자동차 공장들은 20세기가 시작될 때부터 한 세기 가까이 미국 생산업의 주축이었다. 하지만 20세기 후반 한국과 일본의 자동차 산업이 부상하면서 디트로이트는 돌이킬 수 없는 몰락의 길을 걷는다. 공장은 문을 닫았고 노동자는 갈 곳을 잃었으며 도시는 폐허가 됐다. 여러 공공 기관과 민간단체에서 디트로이트를 살리기 위해 노력하고 있지만 무너진 산업을 다시 복구하기는 쉽지 않아 보인다.

　　디트로이트의 사례는 단일 산업에만 의존하는 생산 도시의 취약성을 그대로 드러낸다. 에드워드 글레이저Edward Glaeser는 저서 《도시의 승리Triumph of the City》에서 미국 보스턴과 디트로이트를 비교하며 단일 산업에 의존하는 도시가 얼마나 취약한지 설명한다. 보스턴에서는 여러 산업이 성장하고 쇠퇴했다. 보스턴은 18세기 아프리카와 서인도 제도를 연결하는 삼각 무역으로 발달한 곳이다. 19세기에는 뉴욕과 필라델피아에 뒤지는 것처럼 보였지만, 미국의 첫 기차 노선을 유치하며 새로운 물류 산업의 기지로 부상한다. 열차 기반의 물류 산업이 저물면서부터는 병원과 금융 산업 등을 지역 내에 유치했다. 이때 생긴 미국 최초의 병원인 매사추세츠 종합 병원Massachusetts General Hospital은 여전히 미국 내에서 가장 큰 병원이다. 페이스북이 서비스를 시작한 지역도, 세계에서 가장 큰 바이오 테크 시장이 형성되어 있는 곳도 보스턴이다.

　　글레이저는 보스턴의 경쟁력으로 교육을 꼽는다. 하버드 대학과 매사추세츠 공과 대학MIT을 필두로 하는 보스턴의 교육은 경쟁력 있는 인재를 배출하며 지역 전체가 하나의 산업에 의존하지 않고 새로운 산업을 창출해 나갈 수 있는 토대가 됐다. 디트로이트처럼 하나의 산업에 의존하는 도시는 위기에 흔들릴 수밖에 없는 반면, 보스턴 같은 도시는 새로운 산업을 통해 계속해서 생존해 나갈 수 있다.

탈산업화가 시작된 한국에서도 여러 산업 도시가 디트로이트의 패턴을 닮아 가고 있다. 구미와 군산, 울산 등지에서는 탈산업화 도시 문제가 수면 위로 등장했다. 이런 흐름이 전국의 중소 산업 도시를 강타하는 것은 시간문제다. 소수의 산업에 도시 전체가 의존하는 디트로이트 도시 모델과 비슷한 국내의 많은 중소 산업 도시들은 시기에 차이가 있을 뿐, 탈산업화로 인한 도시 문제를 피하기는 어렵다. 일례로 울산은 2007년부터 2015년까지 전국 지방 자치 단체 중에서 1인당 개인 소득이 가장 높은 도시였다. 그러나 2018년의 사정은 다르다. 4월에 이어 7월, 9월까지 실업률이 가장 높은 도시로 전락했다. 2017년 울산의 자영업자의 폐업률은 13퍼센트로 전국에서 두 번째로 높았다. 한 지역의 대표 산업이 쇠락하며 인구가 외부로 유출되고, 감소한 인구가 도시 재정에도 영향을 주는 형국이다.[1]

생산의 효율성과 토지 가치의 경제성 때문에 대도시에서는 생산 시설이 점점 도시 밖으로 밀려난다. 이로 인해 대도시는 생산 기능을 잃은 소비 중심의 도시로 변하고, 생산 시설을 유치한 중소 도시는 소수의 산업에 의존하는 생산 도시가 된다. 이분법적인 도시 구조는 생산 도시의 기능이 잘 작동하는 산업화 성장 시기에는 문제가 없었다. 하지만 탈산업화 시기가 되자 생산의 기능을 상실하며 문제를 낳고 있다.

오늘날 도시 재생의 성공 여부를 좌우할 질문은 '어떻게 생산과 소비를 도시 내에서 자체적으로 해결할 것인가'다. 장기적으로 지속 가능한 도시가 되려면 생산과 소비를 분리하지 않고 결합해야 한다. 하지만 오랜 시간에 걸쳐 진행된 산업화는 생산과 소비를 분리하는 방향으로 발전했고, 탈산업화 단계에 이르러 그 부작용이 드러나고 있다. 산업화가 새로운 패러다임의 시작이었던 것처럼, 탈산업화 시기에도 새로운 패러다임이 필요하다.

사회주의 도시에서 배운다

지역 순환 경제는 음식, 의류 등 생활에 필요한 재화를 지역 내에서 생산하고 소비하는 구조를 말한다. 생산자는 번 돈으로 다시 지역 내의 다른 상품을 소비하기 때문에, 지역의 부가 다른 곳으로 유출되지 않고 선순환한다는 의미가 있다. 외부 요인에 의존하지 않고 자체적으로 지속 가능한 경제 체제를 구축하는 것이다. 이런 모델은 최근에서야 많은 서구 도시에서 화두로 떠올랐지만, 이전부터 비슷한 모델을 시도한 경우가 있었다. 바로 사회주의 도시에서다. 사회주의 도시는 주거와 생산, 도시와 농촌을 결합한 도시 모델을 추구했다. 소비 도시로 전락하지 않고 도시 내에서 생산 기능을 유지하기 위해 많은 노력을 기울였다.

사회주의 도시의 기원은 도시의 성장과 밀접한 관련이 있다. 근대 산업혁명은 인류의 도시가 새로운 차원으로 성장할 기회를 제공했지만, 급격한 도시화로 이전에 없던 문제도 낳았다. 1854년 런던을 강타한 콜레라가 대표적이다. 빈민가였던 소호 일대에서 퍼진 콜레라는 식수원을 타고 전염돼 2주 만에 반경 200미터 안에 거주하던 주민 600여 명의 목숨을 앗아갔다. 열악한 도시 기반 시설과 폭발적인 인구 유입으로 인해 벌어진 참사였다.

많은 학자가 도시화의 문제점을 지적하고 나섰다. 칼 마르크스Karl Marx와 함께 사회주의 이념의 창시자로 알려진 프리드리히 엥겔스Friedrich Engels도 그중 하나였다. 엥겔스는 20대 초반이었던 1840년대, 공업 도시로 빠르게 성장 중이던 맨체스터Manchester에서 생활했다. 아버지의 사업을 물려받기 전에 경영 수업을 받기 위해서였다. 맨체스터 생활 초반에는 부모의 기대와 다르지 않은 생활을 했다. 그러나 좁은 골목에 모여 사는 노동자의 삶을 목격하고, 기업가 집안의 도련님에서 노동자의 거주 환경 개선을 외치는 투사로 변했다. 엥겔스는 맨체스터 골목을 누비며 목격한 현실을 1845년에 발간한 저서 《영국 노동 계급의 상태The Condition of the Working Class in England》에 담았다. 엥겔스의 책에는 영국 노동자의 주거 및 노동 실태가 적나라하게 서술되어 있다. 당시 맨체스터는 약 40만 명이 거주하는 큰 도시였는데, 그는 기록되지 않은 비공식 인구까지 집계하면 더 많을 것이라고 생각했다.

19세기 말까지는 도시 계획이라고 부를 만한 개념이 없었다. 로마 시대에는 새롭게 정복한 지역에 로마의 도시를 건설하기 위한 도시 계획이, 중세 시대에는 왕권이나 신권을 내세우기 위한 상징적 건축물을 기반으로 하는 도시 계획이 존재했다. 하지만 도시화 문제를 해결하기 위한 대책으로서의 도시 계획은 아니었다. 산업화 시기에 가장 크게 팽창한 런던의 상황도 다르지 않았다. 런던은 1840년에서 1901년까지 60여 년 만에 인구가 200만 명에서 400만 명으로 급증했다. 개발업자들이 많은 주택 단지를 마구잡이로 개발하면서 성장세는 계속됐다. 학자들은 새로운 산업 도시의 모델을 고민했다. 19세기 말 에버니저 하워드Ebenezer Howard는 전원도시garden city 운동을 통해 도시에 충분한 녹지 공원을 조성하고, 무분별한 팽창을 막고자 했다.

이전까지 도시는 새로운 교통수단이나 산업을 염두에 두고 계획된 곳이 아니었다. 로마나 창안의 도시 계획은 사전

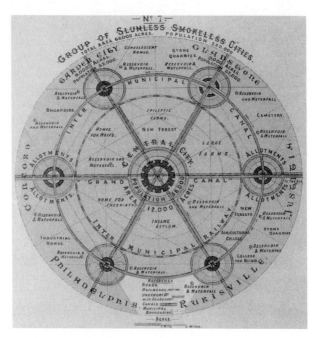

에버니저 하워드의 전원도시 다이어그램

에 고안된 것이지만, 도시가 팽창하고 성장하는 것을 대비하던 시절은 아니었다. 오히려 도시는 처음에는 계획에 맞게 건설되다가도 점차 유기적인 형태로 성장하며 무질서하게 확장하고 팽창했다. 전원도시는 이 문제점을 해결하기 위해 등장한 개념이다. 과밀화된 주거 환경이 사회적으로 심각한 문제를 낳았기 때문에 해결 방안으로 충분한 녹지 공간을 제안한 것이다. 도시 중심부와 위성 도시 사이에 녹지 공간을 조성하고, 두 지역을 중심 도로로 연결하는 것이 계획의 골자다. 녹지 공간은 도시 중심부는 물론 위성 도시의 확장을 억제해 중심부와 위성 도시가 하나의 도시로 맞붙어 커지는 것을 제어할 수 있다. 일반적인 도시들이 중앙에서 주변으로 확장하며 성장하는 것과 달리, 전원도시는 주변의 위성 도시를 통해 확장한다.

현 시점에서 보면 전원도시 개념은 꽤 설득력 있어 보이지만 당시에는 매우 낭만적인 개념이었다. 산업화 이후 전례 없는 속도로 도시화가 진행되는 상황에서 도시의 팽창을 녹지 공원으로 억제하겠다는 생각은 비현실적으로 보였다.

반대로 아예 산업을 도시의 개념 안에 포함시킨 계획도 있었다. 건축가 토니 가르니에Tony Garnier는 1900년대 초 공업 도시Cite Industrielle 계획안을 만들면서 도시 전체가 하나의 산업체가 되어야 한다고 했다. 가르니에 역시 전원도시 개념처럼 도시를 용도별로 구분했다. 도시 안에 주거 공간과 산

토니 가르니에의 공업 도시 스케치

업 단지, 공공시설과 농지 등으로 기능하는 지역들을 만들고, 그 사이를 기차나 자동차로 오갈 수 있게 했다. 햇빛과 바람이 잘 드는 지역에는 주거 단지를 배치하고, 에너지원이나 물류가 중요한 산업은 강이 있고 교통망이 발달한 곳에 설립하는 계획을 세웠다.

상반된 개념처럼 보이는 전원도시와 공업 도시 이론은 새로운 개념을 도입해 산업화 시대 개개인의 주거 환경을 개선하고자 했다는 공통점이 있다. 과거에는 존재하지 않았던 구역의 개념을 도입해 용도별로 구역을 나누고, 충분한 녹지를 제공하면서도 산업 기능을 유지할 수 있는 도시를 만들고자 했다.

사회주의자들은 전원도시 개념을 매우 흥미롭게 생각했다. 전원도시에서 말하는 쾌적한 주거 환경은 사회주의자들이 노동자에게 제공하고자 하는 삶의 가치였을 뿐 아니라 도시의 팽창을 막을 수 있는 방안이었기 때문이다. 사회주의 시각에서 보면 도시는 농촌의 노동력을 착취하는 곳이다. 이전의 도시는 행정과 상업의 중심이었지만, 생산을 위해 농촌의 노동력을 흡수하는 구조는 아니었다. 하지만 산업화된 도시는 더 많은 노동력을 필요로 했다. 도시는 농촌의 노동력을 총동원했다. 농민들 역시 100명이 1의 가치를 생산하는 농업보다는 1명이 100의 가치를 생산해 낼 수 있는 공업 생산에서의 노동을 매력적으로 느꼈다. 농민 세력을 기반으로 했던 초기 사회주의자들이 용납할 수 없는 부분이었다.

공업 도시 개념도 마찬가지다. 사회주의 도시 계획에서 생산 시설은 도시와 분리할 수 없는 문제였다. 도시에 생산 시설이 있어야 한다면 노동자들이 더 쾌적하게 일할 수 있는 방법을 고심해야 했다. 러시아의 도시 계획가 니콜라이 알렉산드로비치 밀유틴Nikolay Alexandrovich Milyutin은 주거 지역과 도로, 철도, 그리고 산업 시설을 인접한 거리에 배치하는 선형 도시 linear city라는 모델을 제안했다. 노동자가 대부분의 시간을 보내는 곳이 공장과 주거 공간이다. 공장과 주거 단지를 가까운 거리에 두면 노동자의 출퇴근 거리가 줄면서 여가 시간을 더 많이 확보할 수 있다. 사회주의는 이처럼 도시화로 인한 문제, 즉 '노동자의 거주 환경을 어떻게 개선할 것인가'에 대한 관심에서 출발했다고 해도 과언이 아니다. 사회주의는 정치, 사회, 경제 이념만이 아니라 도시 계획의 철학이기도 하다.

사회주의 도시에 대한 개념이 비교적 명확해진 것은 사회주의 도시에 대한 현상학적 분석을 시작한 1980년대부터다. 1970년대까지의 논의는 대부분 물리적인 도시의 특징보다는 이론을 토대로 할 수밖에 없었다. 러시아 혁명이 일어난 시점이 1917년, 스탈린이 모스크바의 새로운 이미지를 만들기 위해 재건 계획을 수립한 것이 1935년이다. 도시 안에 여러 공간이 만들어지고 연결되며 새로운 문화가 형성되기까지는 꽤 오랜 시간이 걸린다. 사회주의 도시 공간에 대한 현상학적 이해와 분석이 1980년대가 되어서야 가능했던 이유다.

제임스 바터James Bater는 사회주의 도시가 다른 도시와 어떻게 다른지 이야기하는 대신, 사회주의 국가의 도시들에서 발견되는 공통점에 주목했다. 바터가 정리한 사회주의 도시의 열 가지 특징은 도시 크기의 제한, 국가 통제하의 주거 공급, 계획된 주거 지역, 도시 공간의 균형, 직주 근접의 장려, 대중교통의 장려, 녹지 공간의 제공, 토지 이용의 규제, 국가 개발의 일환으로서의 도시 계획, 상징적이고 중앙 집권화된 도시 등이다. 사회주의 도시의 특징은 19세기 산업화 이후 도시화 문제 해결을 위해 나온 특징이지, 이후에 나타난 사회주의 국가들의 독재와는 거리가 멀다.

사회주의 도시의 특징은 흥미롭다. 도시 크기의 제한은 사회주의 이념이 대도시를 지양한다는 관점에서 나온 특징이다. 도시가 커지면 커질수록 도농 간의 격차는 벌어질 수밖에 없고, 이로 인해 생기는 계층 및 지역 간의 문제는 사회주의의 근간을 흔들 수 있다. 국가 통제하의 주거 공급이나 계획된 주거 지역이라는 개념도 마찬가지다. 도시화로 인해 가장 큰 고통을 받은 계급은 열악한 주거 환경에서 살아야 했던 노동자였다. 사회주의 국가에서는 정부가 나서서 노동자들에게 쾌적한 주거 환경을 공급하고자 했다. 이익을 내는 것이 목적인 민간 자본은 주거 환경에 관심을 가지지 않으므로, 국가가 복지 차원에서 주거 문제를 논해야 한다고 생각했다.

도시 공간의 균형 역시 도시화 과정에서 나타났던 불평등한 도시 구조의 해결책으로 나온 것이다. 엥겔스가 고발한 것처럼 산업 도시에서 부르주아는 큰 도로와 하수 시설이 잘 갖춰진 동네에서 살았지만, 노동자 계층의 생활 환경은 모든 것이 열악했다. 바터는 평등한 사회라는 사회주의의 가치가 도시 공간에서도 구현돼야 한다고 믿었다. 사회주의 도시 계획에서는 주거 공간과 산업 단지, 공원이나 교통 시설이 하나의 조합을 이뤄서 도시 곳곳에 균등하게 분포해야 한다고 봤다. 대중교통을 장려하고 충분한 녹지 공간을 제공하는 것도 사회주의 도시 모델의 중요한 요소였다. 개인의 소유권을 제한하는 사회주의 시스템하에서는 대중교통이 유일무이한 이동 수단이며, 노동자 계층의 이동권을 보장하기 위한 대책이었다. 녹지 공간 역시 특정 지역의 주민에게만 제공되는 혜택이 아니라, 도시민 모두가 이용할 수 있는 도시 환경의 일환으로 계획됐다.

마지막으로 사회주의 도시는 중앙화된 도시를 만들어야 했다. 1950년에 작성된 동독의 도시 설계 원칙 16가지를 보면, 도시 중심의 상징 공간은 단순한 광장이 아니라 국가의 행사는 물론 국민 계몽을 위한 퍼레이드와 이벤트가 진행되는 공간이다. 혁명을 통해 국가를 건설한 사회주의 국가에서 상징 공간은 매우 중요한 요소였다.

사회주의 도시의 특징이 사회주의 국가에서만 나타나는 것은 아니다. 서울에서는 토지 이용을 규제하고, 도쿄에서는 대중교통을 장려한다. 사회주의 도시의 특성이 비사회주의 도시에서도 나타나는 이유는 간단하다. 사회주의 도시는 19세기 산업화를 거치며 진행된 극도의 도시화를 해결할 목적으로 만들어진 개념으로, 도시화의 부작용은 사회주의 국가만 겪는 문제가 아니다.

서울의 그린벨트는 일부가 해제되기는 했지만, 아직도 정부에 의해 매우 엄격하게 규제되면서 서울의 도시 규모를 일정 규모로 한정하는 기능을 한다. 과거에는 국가가 주택 공급에 개입해 목표치를 산정하기도 했다. 서울은 19세기 산업 도시의 문제점을 겪지 않았지만, 당시 산업 도시의 교훈을 토대 삼아 일찍부터 체계적인 도시 계획을 적용했기 때문에 사회주의 도시와 유사한 특징들을 가지고 있다.

그래서 사회주의 도시의 특징을 살펴보는 것은 의미가 있다. 우리의 도시, 자본주의 도시들이 결여한 요소들이 분명 있기 때문이다. 그리고 어쩌면 현재 우리 도시가 겪고 있는 문제의 해법이 여기에 있을지도 모른다.

평양 마스터플랜

평양은 사회주의 국가들 사이에서도 이상적인 도시라고 평가 받았던 곳이다. 루마니아의 대통령이었던 니콜라에 차우셰스 쿠Nicolae Ceausescu가 1971년 평양을 방문하고 이상적인 사회주의 도시라고 칭송한 일화가 있다. 차우셰스쿠 대통령은 루마니아의 수도 부카레스트Bukarest를 평양처럼 사회주의 이념이 반영된 도시로 바꾸기 위해 대대적인 개조 작업을 진행했다. 두 지역 모두 현재는 독재자를 칭송하는 공간으로 많이 변질됐지만, 1970년대까지는 양국 모두 이상적인 사회주의 도시를 건설하기 위해서 힘썼다.

평양이 이상적인 사회주의 도시로 거듭나는 데에는 1950년의 한국 전쟁이 지대한 영향을 미쳤다. 당시 미군의 공중 폭격을 받은 평양은 서울에 비해 심각한 피해를 입었다. 도시 기반이 완전히 무너진 상황에서 북한은 평양을 사회주의 도시로 만들 계획을 세운다. 소련을 비롯한 공산권 국가들에서는 폐허가 된 평양을 버리고 새로운 도시에 북한의 수도를 세울 것을 권했다. 하지만 김일성은 이 제안을 마다했다. 그에게는 제국주의의 산물인 일제 강점기의 근대 유산이나 중세 왕권 시대인 조선 시대의 유산을 잃은 것이 커다란 문제가 아니었기 때문이다. 오히려 폐허가 된 평양을 성공적인 사회주의 도시로 재건하면 혁명전쟁의 의미를 더 널리 알릴 수 있다고 생각했다.

김일성은 모스크바에서 유학 중이던 건축가 김정희에게 평양 재건 계획을 지시한다. 김정희는 1935년 모스크바 마스터플랜을 기초 삼아 평양 재건도를 만들었다. 모스크바 마스터플랜은 도시에 사회주의 이념을 구현하겠다는 생각으로 스탈린이 강하게 밀어붙인 종합 재건 계획이다. 하지만 다른 도시들과 마찬가지로 모스크바도 기존의 도시 조직이 있는 상황에서 사회주의 도시를 만들기는 쉽지 않았다. 러시아 대통령궁 크렘린Kremlin으로 통하는 고리키Gorki 거리[현 트베르스카야(Tverskaya) 거리]를 넓히고, 건물의 입면을 정리하는 등 새로운 도시를 만들기 위해 많은 작업을 진행했지만 도시가 완전히 새롭게 조직화되지는 못했다.

평양은 도시를 새롭게 만들어야 하는 상황이었으므로, 김정희의 평양 종합 재건도는 이상적인 사회주의 도시의 모습을 담을 수 있었다. 평양 마스터플랜에서는 전원도시 개념을 엿볼 수 있다. 김정희는 전원도시 이론과 같이 도시를 다양한 영역으로 나누고 그 사이에 녹지 공간을 두고자 했다. 도시의 중심은 김일성 광장에서부터 주체탑이 있는 맞은편까지로 설정했고, 대동강과 모란봉 등 평양의 자연 환경은 녹지 공간 영역으로 계획했다. 평양은 6~7개의 영역으로 다핵화됐다. 각 영역에는 도시에 필요한 상업 시설과 주거 시설이 있고, 중

인민대학습당에서 본 김일성 광장과 주체탑

심 광장이 있어 사회주의 도시의 특징인 상징성을 부각했다.

그의 계획은 평양이 300만 인구가 사는 대도시로 성장하는 과정에서 중요한 밑거름이 됐다. 마스터플랜은 물론, 평양의 초기 재건 과정에는 사회주의 도시의 특징이 선명하게 나타난다. 평양에서 읽을 수 있는 사회주의 도시의 특징은 상징적인 역할을 하는 도시의 중심부, 충분한 녹지 공간, 그리고 도시 공간의 균등화를 위한 마이크로 디스트릭트microdistrict 계획이다.

김일성 광장은 아마도 미디어를 통해 가장 많이 소개된 평양의 도시 공간일 것이다. 하지만 대규모 군사 퍼레이드가 벌어지는 마당이나, 지도자의 생일을 축하하는 행사장으로 그려지기 때문에 독재의 산물이나 군사적 위협의 공간으로만 알려져 있다. 하지만 광장은 사회주의 도시에서 굉장히 중요한 역할을 한다. 역사적으로 광장이 도시 공간의 일부로 존재했던 유럽 문화에서는 광장을 설치하는 것이 그다지 새로운 개념이 아니었다. 하지만 광장의 역사가 전무했던 한반도에서 도시 중심에 대규모 광장을 건설하는 것은 낯선 일이었다. 사회주의 도시를 만들겠다는 평양의 의지를 읽을 수 있는 대목이다.

광장은 도시의 얼굴이자 혁명의 승리를 표현하는 무대이고, 각각의 위성 지역을 아우르는 중심 공간으로 기능해야 했다. 광장 주변의 시설에 이런 특징이 잘 드러난다. 북한은 평양에서 가장 상징적인 공간인 김일성 광장에 인민대학습

당과 조선미술박물관, 조선중앙역사박물관 등의 문화 시설을 만들었다. 사회주의 도시에서 광장은 인민에게 돌려줘야 할 중요한 자산이었다.

북한의 주요 도시는 상징 광장 인근에 공공 문화 시설을 함께 둔다. 도시의 공공성을 중요시하는 사회에서는 사람이 제일 많이 모이는 곳에 상업 공간이 아니라 광장이나 도서관처럼 공공장소를 만든다. 이는 서울을 비롯한 한국의 도시에서 배워야 할 부분이다. 한국 사회는 도시를 개인이 소유한 필지들의 결합 정도로 인식하고 있다. 도시를 개인의 욕망을 실현하는 자본의 플랫폼으로 여긴다. 인민대학습당이 김일성 광장에 있는 것은 롯데백화점 본점이 있는 서울 소공동에 학교가 있는 것과 같은 일이다. 인민대학습당은 약 3000만 권의 도서를 소장하고 있다. 소장 자료와 장비가 낙후되어 효율적으로 기능한다고 말할 수는 없지만 건축이나 위치 면에서의 위상은 크다.

북한이 평양이라는 도시를 다핵화된 공간으로 만들고자 했던 것은 도시 영역이 넓어지는 것을 방지하기 위한 목적만은 아니었다. 도시를 균등한 여러 지역으로 구분하면 지역 간의 격차가 줄어들 것이라고 생각했다. 그러나 사회주의 도시인 평양은 정치적으로 특별한 위상을 갖는 구역을 설정해야 하는 딜레마에 빠질 수밖에 없었다. 선전과 선동을 위한 광장이나 건축물이 필요했던 것이다. 김일성 광장이 있는 중심 지역을 선전과 선동을 위한 상징적인 공간으로 설정한 이유다.

이 중심 지역은 자본주의 도시의 도심 개념과 다르다. 자본주의 도시에서는 중심 업무 지구가 도심이 되는데, 이 지역은 도시에서 가장 토지 가치가 높고 자본 경쟁이 치열하다. 이런 곳에는 토지에 대한 투자 이상으로 수익을 낼 공간이 들어서게 된다. 그래서 업무 시설이나 상업 시설이 도심의 대부분을 차지하고 있다. 자본 경쟁에서 취약한 행정이나 문화, 교육 시설은 지역 밖으로 밀려날 수밖에 없다.

전원도시 개념을 차용한 평양의 마스터플랜은 녹지 공간을 통해 도시의 확장을 억제하고자 했다. 녹지는 상징 공간만큼이나 도시 공간에 큰 영향을 미쳤다. 평양은 대동강, 모란봉 등의 자연 환경을 활용하는 한편 새로운 녹지 공원을 조성하기도 했다. 평양의 인구가 예상과 달리 300만 명 규모로 늘어나면서 계획의 일부가 달라졌지만, 1970년대까지만 해도 평양은 녹지가 많다는 점에서는 서울에 비해 더 나은 도시 환경을 가지고 있었다.

김일성 정권은 공원이 노동자에게는 휴식처가, 학생에게는 교육 공간이 되어야 한다고 강조했다. 서울과는 도시 내 녹지 공간에 대한 인식이 달랐다. 1980년대 평양이 국제도시로 발돋움하는 과정에서는 녹지를 도시의 경쟁력으로 내세우

모란봉 공원에서 춤을 추고 있는 평양 시민들

기도 했다. 당시 평양은 국제 사회에 '평양, 공원 속의 도시'라는 문구를 홍보했다. 비슷한 시기에 올림픽을 유치했던 서울이 내세운 이미지는 현대화된 건축물과 도시였다.

평양은 농지를 활용해 도시화를 예방하고 도시와 농촌 간의 간극을 줄였다. 도시와 농촌을 나누지 않고 하나의 행정 구역 안에 배치함으로써 도농 간의 구분을 없앴다. 실제로 평양의 행정 구역은 우리가 흔히 아는 도심 밖의 넓은 지역을 포괄한다. 평양의 규모는 서울의 세 배가 넘는다. 일각에서는 평양이 서울과의 규모 경쟁에서 이기기 위해서 행정 구역을 넓게 설정한 것이라고 하지만, 평양의 행정 구역이 넓은 이유는 농촌 영역을 포함하고 있기 때문이다. 북한은 도시에 충분한 농지를 배치해 각 지역이 자생할 수 있는 도시 기반으로 삼았다. 평양에서 생산한 농산물은 평양에서 소비하고, 함흥에서 생산한 것은 함흥에서 소비하는 방식이다.

한국의 도시 외곽의 농경지는 도시가 커지면 언제든 사라질 수 있는 공간이다. 이런 도농 관계를 바탕으로 성장한 도시가 수도 서울이다. 서울의 강남이나 경기도 일산, 분당, 하남 등의 도시는 모두 농지를 개발해 만든 지역이다. 이에 반해 평양에서 농촌 또는 농지는 도시화 과정에서도 꼭 유지해야 하는 영역으로, 도시화의 부작용을 최소화할 수 있는 완충지대다. 지금도 평양에는 도시와 농촌 간의 명확한 구분선이 존재하지 않는다. 최근 개발이 많이 진행되어 도심이 넓어지고 있으나 농지를 침범하는 경우는 거의 없다.

흥미로운 사실은 최근 많은 선진 도시에서 도시와 농촌 또는 도시와 농촌의 생산물을 어떻게 결합시킬 수 있을지를 고민한다는 점이다. 지역에서 생산된 농산물만 파는 가게들이 생겨나고, 어떤 레스토랑에서는 지역에서 난 재료를 가지고 요리한다. 내가 먹는 음식이 어디서 오는지 알고자 하는 이들, 유전자 조작 식품이나 방부제가 들어간 가공 식재료를 꺼리는 이들이 늘어나고 있다는 방증이다. 이런 추세를 타고 신선하고 건강한 식재료는 지역 경제를 살리는 요인이 되기도 한다.

생산의 도시를 그리다

평양은 도시에 농촌 영역을 편입시키고, 공업 생산 기지를 구축해 생산 도시로서의 모습을 지켰다. 일제 강점기에 병참 기지 역할을 했던 평양에는 한국 전쟁 이전부터 여러 공장이 있었다. 평양은 재건 과정에서 공장 기반 시설을 활용해 많은 제조 공장을 설립했다. 평양 공업 지구는 북한에서 가장 큰 공업 단지다. 평양과 위성 도시인 남포, 대안, 송림, 사리원 일대에 조성된 단지로, 대동강 유역을 따라 북한의 주요 경공업 및 중공업 시설이 분포한다. 생필품 등 필수적인 소비재를 각 도시에서 자급하는 구조를 갖추기 위한 노력의 일환이다.

무엇보다 평양이 생산 기지로 기능할 수 있었던 이유는 마이크로 디스트릭트라는 생활 단위를 마련했기 때문이다. 마이크로 디스트릭트는 도시의 가장 작은 단위이면서도, 커뮤니티로 기능하는 공동체를 일컫는 말이다. 사회주의 도시들이 사회의 근간이 되는 단위를 가족이 아니라 공동체인 코뮌commune으로 생각한 것과 일맥상통한다. 하나의 마이크로 디스트릭트에는 주거부터 교육, 탁아, 공공, 상업 시설 등이 포함된다. 마이크로 디스트릭트 안에 사는 가족은 아이를 탁아소에 맡기고, 초등학교에 보내고, 필요한 물건을 구매하고, 휴식을 취하는 일을 모두 한 구역에서 해결할 수 있다. 사회주의 도시에서 마이크로 디스트릭트란 자생적인 공동체를 만들기 위한 개념이었다. 마이크로 디스트릭트가 도시 전역에 고르게 분포하면 모든 주민이 각자의 주거 단위 내에서 충분한 녹지와 편의 시설을 향유할 수 있다고 생각한 것이다.

1960년대 북한은 소련의 마이크로 디스트릭트 개념을 차용해 북한만의 주택 소구역 계획 이론을 발표했다. 이 계획에는 주택 소구역의 규모를 설정하고, 하나의 블록 안에서 주거 영역과 부대시설을 배치하는 방법 등이 자세하게 소개되어 있다. 지역이나 지형 특성에 따라 아파트가 병렬적으로 구성되는 것이 좋은지, 자유롭게 들어서는 것이 좋은지까지 제시하고 있다. 개별 단위의 소구역 안에 학교와 탁아소, 주민 생활에 필요한 상점과 공공시설을 설립해야 하고, 주민들의 공동 생산이 가능하도록 가내 수공업 형식의 생산 시설을 마련해야 한다. 이런 규칙은 평양뿐만 아니라 다른 도시를 계획하는 과정에서도 활용되는, 북한의 주택 공급에서 핵심적인 개념이다.

주택 소구역은 크게 세 개의 단위로 구성된다. 가장 기본이 되는 단위는 초급 봉사 단위다. 반경 100~150미터 범위에 주민 2000~3000명을 대상으로 하는 단위로, 여기에 포함되는 공공시설은 밥공장[2], 어린이 놀이터, 공동 녹지 등이다. 그 다음으로 큰 단위는 소규모 봉사 단위로 반경 400~500미터에 주민 6000~9000명을 포괄한다. 이 단위에는 도서관, 두부 공장, 체육관, 연료 공급소, 동사무소 등 초급 봉사 단위의 공공시설보다 큰 규모의 공간들이 들어선다. 가장 큰 단위는 구역 봉사 단위로 2000~2400개 가구에 1만 명~1만 5000명 정도의 주민이 대상이다. 경공업 시설이나 작업장을 배치해 주민들이 주거 지역에서 멀지 않은 장소에서 일할 수 있게 했다.[3]

노동자들의 근무 환경을 중요하게 생각했던 사회주의 도시에서는 주거 지역과 공장의 인접성이 매우 중요했다. 그래서 대부분의 마이크로 디스트릭트는 생산 시설을 포함하고 있었다. 김일성 광장에서 바라봤을 때 대동강 맞은편에 있는 동평양 지역이 대표적인 사례다. 이 지역은 1930년대 일본이 처음 개발했지만, 본격적인 개발 단계를 밟은 것은 한국 전쟁

주체탑에서 본 동평양 지역의 모습

이후다. 1960년대 동유럽 국가의 지원을 받은 북한은 이 지역에서 사회주의 도시의 이상을 실현하고자 했다. 이 지역의 주택 소구역 계획은 메가 블록이라고 불리는 가로세로 250미터의 격자 시스템을 채택했고, 블록의 가장자리에는 주거 시설을 두고 내부에는 기타 공용 시설과 작업장을 배치했다. 이런 특징은 자본주의 도시에서 보이는 복합 주거와는 사뭇 다른 모습이다. 일반적으로 공공성이 더 강한 작업장이나 공용 시설은 서비스와 외부인의 접근성을 고려해 외곽에 두고, 사적인 영역인 주거 공간은 블록의 안쪽에 위치하기 마련이다. 하지만 사회주의 도시에서 소구역 내의 작업장과 공용 시설은 구역 내 주민을 대상으로 하는 시설이기에 외부인의 접근성이 중요하지 않았다.

주택 소구역 계획은 1980년대 후반 30층이 넘는 고층 아파트 단지로 개발된 통일 거리와 광복 거리에서도 발견할 수 있다. 물론 이 개념이 처음으로 등장했던 1960년대의 아파트와는 사뭇 다른 형태지만 구역 개념이 적용된 것은 비슷하다. 1960년대 동평양 지역의 아파트는 격자형 블록에 약 10층 내외 규모로 들어섰다. 아파트 자체가 하나의 블록을 형성하고, 블록 안에는 주민들을 위한 편의 시설과 생산 시설이 위치하는 형태였다. 지금 이들 거리에 있는 아파트는 단지 간의 거리가 모호하고 조형성을 강조하는 고층 형태로 변했지만, 부분

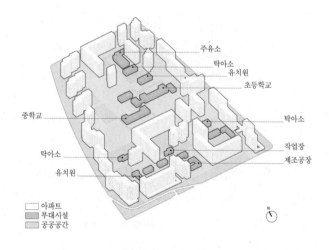

주유소

탁아소
유치원

초등학교

중학교

탁아소

탁아소

작업장

유치원

제조공장

N

☐ 아파트
■ 부대시설
▨ 공공공간

주택 소구역 모델이 적용된 평양 문수 거리. 탁아소, 유치원, 학교 등과 함께 제
조 공장과 작업장이 주거 단지 안에 있는 것이 특징이다.

적인 변화에도 불구하고 평양은 여전히 마이크로 디스트릭트 개념을 적용해 각 단지에 학교와 편의 시설을 함께 배치한다. 거주자가 직장 생활, 자녀 교육, 탁아, 공원에서의 휴식, 생필품 구매 등을 모두 단지 안에서 해결할 수 있다.

공공을 위한 도시

우리가 흔히 아는 평양은 서울보다 낙후된 도시인 데다, 정치적 의사 표현이나 상거래의 자유가 보장되지 않는 곳이다. 탈산업화 시대에 접어들어 많은 도시 문제가 발생하고 있는 서울에서 다른 도시를 벤치마킹해야 한다면, 비슷한 과정을 거친 뉴욕, 도쿄, 런던 등의 대도시나 도시 환경을 잘 정비한 싱가포르 같은 곳을 살펴야 한다고 말할 수도 있다. 그럼에도 불구하고 사회주의 도시와 평양을 말하는 이유는 도시 생산 주거라는 삶의 양식에 있다.

한 도시 안에 사는 사람들은 소비자이면서 생산자다. 소비자와 생산자의 구분이 모호해지고, 이들이 다양한 방식으로 함께 사는 공동체는 경제적 성공과는 다른 이야기를 만들어 낸다. 저녁상을 차릴 때 한 동네에 살고 있는 이웃이 만든 된장으로 찌개를 끓이는 상상을 해보자. 공장에서 생산한 제품보다 더 건강하고 맛도 좋을 수 있다. 자생적인 모델을 꿈꿨던 사회주의 도시에서는 생산된 농업 생산물을 그 지역에서 소비하는 것이 자연스러웠다. 일본의 경제학자 미무라 미쓰히로三村光弘는 북한이 오랜 시간 경제 제재를 당했음에도 주민들이 생활을 유지할 수 있는 이유로 지역 순환 경제를 지목했다. 외부 요소에 의존하지 않고 자체적으로 생활에 필요한 소비재를 생산하고 소비할 수 있다면, 자생 도시의 조건을 갖출 수 있다. 이런 모델을 뒷받침하는 구조가 도시 생산 주거의 한 모델인 마이크로 디스트릭트다.

산업화 시대에는 농산물이건 공장에서 생산한 물건이건 대량 생산 기지를 갖추고, 물류 시스템을 통해 소비자의 손까지 이동하게 하는 것이 가장 효율적인 방식이었다. 하지만 효율에 바탕을 둔 도시 구조는 우리에게 더 나은 삶의 환경을 제공하지 못한다. 앞으로는 많은 도시가 지역 생산, 지역 소비를 강조하고, 지역의 순환 경제 시스템을 목표로 삼을 것이다.

이 시스템의 원형이 사회주의 도시 모델이다. 100년 전에 나온 사회주의 도시 모델은 많은 건축가의 꿈이었다. 도시의 공공성이 살아 있는 도시, 주민의 환경을 질적으로 개선한 도시 모델이었다. 사회주의 도시에는 자본의 논리도, 도시 공간에서 소외되는 계층이나 도시 공간의 이점을 상대적으로 더 많이 누리는 특권층도 없었다. 도시에 사는 누구나 공공재로서 그 환경을 누릴 수 있었다. 물론 오류도 있었다. 자본의 논리를 무시하다 보니 인간의 개성과 욕망까지 억눌렀고, 비효율적인 도시 운영 방식으로 경쟁력을 잃었다.

　이제는 많은 자본주의 도시에서 사회주의 도시 개념을 받아들이려 한다. 도시의 공공성은 점점 더 주목받고 있고, 도시와 도시를 경쟁 관계로 보는 관점도 달라지고 있다. 어떤 도시가 다른 도시에 비해 얼마나 잘사느냐보다 한 도시가 자생적인 경제 단위로 독립하는 것이 중요하다. 그래서 현대의 도시 계획 전문가들은 어떻게 하면 도시 경제가 원활하게 순환할 수 있는지를 고민한다. 도시 안에서 농업이 발달하는 현상과, 4차 산업혁명으로 인한 탈산업화는 연결되어 있다. 도시 안에서 농업이나 지역 생산이 발달하는 배경에는 농업 기술의 진보뿐 아니라, 효율성을 추구하는 대량 생산 제품보다 개인의 취향을 고려하는 소량 생산 제품을 선호하는 소비자의 변화도 영향을 미쳤다.

　사회주의 도시 모델을 우리 사정에 맞게 적용하기 위해서는 시장과 산업의 논리를 배제할 수 없다. 그런 점에서 도시 생산 주거는 사회주의 도시 모델의 마이크로 디스트릭트보다 진보한 개념이다. 한 도시 안에 생산 영역과 소비 영역, 주거 영역이 어우러져 있다는 점에서는 동일하다. 하지만 도시 생산 주거의 근간에는 산업 구조의 변화, 소량 생산을 선호하는 소비자들의 욕구에 대응하는 시장 논리가 깔려 있다.

　1990년대 개방화 수순을 거쳐 자본주의 도시가 된 사

2015년 완공한 평양의 미래 과학자 거리는 대동강변에 개발한 대규모 아파트 단지다. ©Calvin Chua

회주의 도시의 사례를 보면, 도시에서 공공성이 사라지면서 발생하는 부작용이 굉장히 컸다. 가장 먼저 사회주의 도시의 핵심이었던 공공 공간이나 녹지 공간이 자본에 침식당해 사라지기 시작했다. 여러 사람이 활용하는 상징적 공간인 광장을 중심으로 다양한 상점들이 생겨나고, 사람들은 광장 근처에서 기본적인 경제 활동을 시작했다. 상업화가 진행되면 더 많은 가게들이 입점하고, 주변으로 쇼핑몰이나 영화관 등 대규모 상업 시설이 들어서며 공공성을 잠식하게 된다. 쇼핑몰을 공공 공간으로 보는 시각도 있다. 하지만 많은 경우 쇼핑몰은 소비를 해야만 그 효용을 누릴 수 있는 공간이다. 결국 모두가 편히 이용할 수 있는 도시의 모습은 사라지고, 소비자를 위한 공간만이 남는다.

녹지 공간의 상황도 다르지 않다. 불가리아의 수도 소피아Sofia에서는 시장 개방 이후 녹지 공간의 30퍼센트가 개발로 인해 사라졌다. 남아 있는 녹지에서도 개발이 진행 중이다. 시장 경제를 받아들인 사회주의 도시로서는 어쩔 수 없는 선택이었는지 모른다. 도시가 제반 시설을 구축하고, 정비 사업이나 주택 사업을 진행하기 위해서는 많은 비용이 필요하다. 국민의 세금을 통해 부족한 비용을 충당할 수 없다면 국가 소유의 공공 공간을 사유화하는 수밖에 없다. 여러 도시에서 공원의 개발권을 민간에게 넘겨주고 개발 사업을 진행하는 것도 비슷한 이유다.

평양도 많은 변화를 거듭하고 있다. 우리가 뉴스를 통해 자주 접할 수 있는 미래 과학자 거리나 려명 거리는 북한이 현대식 아파트를 공급한다는 명목으로 근래에 건설한 아파트 단지다. 이러한 변화와 더불어 북한 내에서 중요한 원칙으로 통했던 마이크로 디스트릭트 계획은 점차 희미해지고 있다. 부동산 가치라는 개념이 북한 주택 시장에 들어온 후 도시의 최우선 목표는 좋은 위치에 많은 주택을 공급하는 것이 됐다. 부동산 가치로는 별 볼 일 없는 학교나 생산 시설이 뒷전으로 밀리는 건 당연한 수순이다.

이전까지 평양 주민들은 국가에서 공급하는 주택에서 적당히 살면 그만이었다. 하지만 경제 활동을 통해 막대한 부를 축적하는 계층이 생기면서 주택에도 선호가 반영되기 시작했다. 이제 평양 주민들은 적당히 사는 주택보다는 좋은 전망과 인테리어를 갖춘 화려한 주택에서 살고 싶어 한다. 평양에서도 자본주의 도시처럼 도시의 수변 공간인 워터프론트 waterfront 개발과 아파트의 고층화, 고급화 현상이 나타나고 있다. 평양 외곽 지역에 부촌이 형성될 가능성도 높다. 사회주의 도시 공간과 자본의 충돌로 빚어지는 이런 현상은 많은 사회주의 도시가 거친 과정이다.

한국의 도시들과 서울이 배워야 하는 점은 평양의 현재

모습이 아니라, 평양이 초기에 구상한 사회주의 도시의 모델이다. 시민들이 언제든 모여서 시간을 보낼 수 있는 도심 속의 광장, 도시가 무질서하게 팽창하지 않도록 막는 충분한 녹지, 어떤 지역에 살더라도 적정 수준 이상의 환경을 누릴 수 있는 균형을 갖춘 공간을 살펴야 한다. 이런 관점에서 주목해야 할 공간이 도시 내 생산 시설이다. 생산력의 회복은 도시 간의 불균형을 해소하고, 도시 내의 공동체를 활성화하는 데 기여할 수 있다.

서울 시내에는 많은 광장이 있다. 불과 얼마 전까지만 해도 광장이라는 개념은 한국의 사정에 맞지 않았지만 지금은 다르다. 서울시청 광장이나 광화문 광장, 청계 광장 등이 들어서는 이유는 도시의 공공성에 대한 공감대가 높아져서다. 미국보다 더 평등한 제도라고 불리는 한국의 의료 보험도 사회주의 요소를 담고 있다. 자본주의 도시가 사회주의 모델을 거부했다면 국민이라면 누구나 기본 교육을 받을 수 있어야 한다는 공감대도 생겨나지 못했을 것이다. 자본주의와 사회주의는 상대의 관점과 방향을 받아들일 수 있다. 서울과 평양의 관계도 마찬가지다.

소비 수준과 무관하게 모든 시민이 모일 수 있는 광장을 갖춘 도시, 충분한 녹지가 있어 무분별한 팽창을 제어할 수 있는 도시, 균형 있는 발전 정책으로 양질의 삶의 수준을 보장

하는 도시는 사회주의 도시 평양이 지향한 모습이자, 서울이
지향해야 할 미래 도시의 조건이다.

살아 있는 도시의 조건

도시 공간의 불평등

1811년 미국 뉴욕에서는 도시 계획 역사상 가장 중요한 계획이라고 불리는 커미셔너 플랜Commissioners' Plan이 실행된다. 커미셔너 플랜은 맨해튼 북쪽의 휴스턴 거리를 기준으로, 북쪽 지역을 격자 형태의 그리드grid로 조직하는 것이었다. 당시 이 지역에는 미국으로 온 이민자들이 거주하고 있었다. 커미셔너 플랜은 합리성에만 의존해 도시의 정체성을 없앤다는 비판을 받았지만, 결과적으로는 뉴욕을 런던에 버금가는 대도시로 만드는 데 결정적인 역할을 했다. 커미셔너 플랜을 통해 맨해튼의 필지가 같은 규격으로 분리되면서 자본가들의 토지 거래가 원활해졌기 때문이다. 토지 거래가 증가하면서 맨해튼은 충분한 세수를 확보할 수 있었다.

토지를 사유화해 세수를 늘리는 계획은 도시 경제학의 기본이 되는 개념이다. 많은 도시가 토지 거래를 통해 발전했다. 19세기 뉴욕이나 파리가 대대적으로 필지를 재정비한 이유도 새로운 자본가 계층이 토지를 쉽게 소유할 수 있도록 만들기 위해서였다. 서울에 있는 다양한 형태의 광장은 엄연히 따지고 보면 사유화할 수 없는 필지에 생긴 공간들이다. 현행 국토법상 도로와 필지는 구분되어 있다. 광화문 광장이나 서울시청 광장은 자동차 통행이 우선시되던 시절에는 도로였지만, 보행자가 도시 공간의 중심이 되면서 성격을 바꿨다. 개인

필지를 공공 공간으로 전환하는 것이 아니라, 기존의 공간을 다른 형태로 바꾸어 쓰는 것은 사회주의 도시 모델에서 말하는 도시의 공공을 위한 공간과는 차이가 있다.

레나테 바닉-슈바이처Renate Banik-Schweitzer는 저서《공업 도시 빈Industriestadt Wien》에서 사회주의와 자본주의라는 사회 경제 시스템이 도시라는 물리적 공간을 바꿀 수 있다고 서술했다. 자본주의 도시에서 사유지는 중요한 세금 창출원이기 때문에 최대한 늘리는 것이 유리하다. 이로 인해 도시 내에 녹지나 공공 공간을 만드는 것에는 인색할 수밖에 없다. 사회주의 도시는 세금을 바탕으로 하는 도시가 아니기에 적극적으로 공공 공간이나 녹지 공간을 조성할 수 있다. 그의 말처럼 일반적인 자본주의 도시에서는 녹지 공간을 조성할 때 경제 논리가 개입한다. 도시 재생의 성공적인 사례로 알려진 뉴욕의 하이라인 프로젝트High Line Project[4]는 주변 지역의 지가가 올라가고, 이를 통해 세수를 확보할 수 있을 것이라는 판단하에 시행될 수 있었다. 자본주의 도시가 경제 논리를 최우선 가치로 삼는 한 공공 공간을 만들기란 근본적으로 쉽지 않은 일이다. 런던이나 파리 같은 도시에도 광장이라는 상징 공간이 있지만 대부분 중세 왕권 시대에 형성된 것으로, 자본이라는 개념이 확립된 산업화 시기 이후로는 상징 공간을 만드는 것이 어려웠다.

사회주의 도시에서는 녹지 공간을 만들 때 주변 지역의

지가가 얼마나 오를 것인지를 고려하지 않는다. 이들이 녹지를 만드는 이유는 도시와 농촌 간의 격차를 줄이기 위해서다. 대도시를 지양하고 도시의 규모를 일정 범위 안으로 제한하고자 녹지를 만든다. 이들에게 최우선 가치는 무분별한 도시 성장을 억제하고, 노동자에게 레저와 휴식을 제공하는 것이다.

서울은 도시가 무한히 커지는 것을 제한하기 위해 1970년대 그린벨트를 설정했다. 그린벨트는 지정할 때부터 끊임없이 논란의 대상이 됐지만, 서울의 확장을 억제하는 데는 어느 정도 기여했다. 하지만 그린벨트 정책 역시 사회주의 도시의 녹지 공간과는 거리가 있다. 사회주의 도시는 도시를 다핵화하고, 각 영역 사이에 녹지를 만들어 개별 지역이 일정 규모 이상으로 커지는 것을 막았다. 반면에 서울은 행정 구역이 커지는 것은 막았지만, 도시 내의 각 영역이 서로를 침범하는 것을 막지는 못했다.

서울이 최근 도시 내 공원의 비율을 늘리기 위해 노력하고 있지만 한계는 있다. 대부분은 녹지로 지정할 수 있는 영역에 공원을 만드는 것이지, 녹지 공간이 필요한 지역을 찾아 개발하지는 않는다. 용산 기지의 사례만 보아도 그렇다. 미군이 떠난 자리에 시민을 위한 녹지 공원이 생긴다는 것은 반길 일이지만, 해당 지역에 그 정도 규모의 공원이 필요한지에 대해서는 의문이 남는다. 공원화에 착수한 성수동의 샘표 공장 부지도 마찬가지다. 법적으로 공원화할 수 있는 영역이 있기에 녹지를 만드는 것과, 공원이 필요한 지역을 발굴하는 것에는 큰 차이가 있다. 한국에서처럼 특정 지역에 녹지 공원이 쏠리는 현상은 오히려 공간의 불평등만 낳을 수 있다.

생산이 밀려난 자리

사회주의 도시는 주거 단위 계획을 통해 도시의 불균형 현상을 해소하고자 했다. 이를 위해 고안한 개념이 마이크로 디스트릭트다. 사회주의 도시 모델 초기에 마이크로 디스트릭트는 약 3000~5000세대로 구성하는 것이 원칙이었다. 자생하는 공동체를 만들기 위해서는 기본적으로 3000세대 이상이 필요했던 것으로 보인다. 하나의 마이크로 디스트릭트 안에 학교를 만들고 유지하려면 일정 숫자 이상의 학생들이 있어야 하고, 파출소나 소방서 등의 시설을 갖추기 위해서도 이들이 담당하는 지역 인구가 확보되어야 했다.

사회주의 도시 모델의 근간이 되는 마이크로 디스트릭트는 한국인에게는 그다지 낯선 개념이 아니다. 한국의 아파트 단지를 떠올려 보면, 마이크로 디스트릭트가 어떻게 구성되어 있는지 상상할 수 있다. 대규모 아파트 단지에는 유치원이나 초등학교를 중심으로 주민센터와 파출소, 노인정 등의 관공서와 편의 시설이 위치해 있다. 경우에 따라서 단지 안에 중·고등학교가 있기도 하고 근린 상가 시설이 있어 약국, 서점, 마트 등이 들어갈 수 있다. 이런 아파트는 단지 안을 통과하는 차량을 엄격히 규제하고 단지 안의 공간은 보행자 위주로 구성한다.

한국의 아파트 단지 설계나 지구 단위 계획이 사회주의 도시 모델의 마이크로 디스트릭트와 닮은 이유는 클래런스 아서 페리Clarence Arthur Perry가 말한 근린주구 이론neighborhood unit의 영향을 받았기 때문이다. 근린주구 이론의 핵심은 하나의 주거 단위가 초등학교 운영에 필요한 인구 규모를 가져야 한다는 것, 그리고 주거 단위 안에서는 교통 체증을 유발하거나 거주자의 안전을 위협할 수 있는 통과 교통이 발생하지 않도록 계획해야 한다는 것이다. 또 주민 편의를 위해 적절한 위치에 공원을 만들고, 학교와 공공시설은 구역 중심에 놓아야 한다고 봤다.

마이크로 디스트릭트는 대규모 주택 공급을 목표로 나온 모델이라는 점에서도 한국의 아파트 단지와 비슷한 성격을 가지고 있다. 마이크로 디스트릭트라는 개념이 처음으로 등장한 것은 1920~1930년대지만, 실제로 적용된 것은 제2차 세계대전 이후다. 러시아를 비롯한 동유럽 공산권 도시들은 주택 부족 문제를 해결하고, 자생적인 주거 단위를 제공하고자 마이크로 디스트릭트 개념을 도입하면서 한국의 아파트처럼 획

일적인 주거 양식을 대량으로 공급했다. 1970~1980년대 한국에 지어진 강남의 대규모 아파트 단지를 상상하면 사회주의 도시의 마이크로 디스트릭트를 어렵지 않게 이해할 수 있다.

사회주의 도시 모델이 마이크로 디스트릭트를 통해 추구한 목표는 평등한 도시 공간이었다. 우리는 도시 공간의 불균형을 당연하게 받아들이는 경향이 있다. 역세권에 사는 주민들은 다른 지역의 주민들보다 편리하게 대중교통 시설을 이용하고, 한강이 보이는 동네나 큰 공원 주변에 사는 이들은 자연 환경의 혜택을 더 많이 본다. 이런 장점은 주변 지가를 상승시키는 요인이 되고, 근처에 사는 주민들에게 돌아가는 혜택은 갈수록 더 커진다. 누군가는 집 근처에 대형 마트 같은 상업 시설이 있어 편리하게 이용하지만, 누군가는 그 시설을 이용하기 위해 먼 길을 운전해야 한다. 교육 환경이나 복지 시설에 대한 접근성도 지역마다 다르다.

사회주의 국가들은 마이크로 디스트릭트를 동유럽 도시들의 중심부에 적용했다. 국가가 나서서 주거 공간을 공급하고 토지 이용 방식을 규제할 수 있었던 사회주의 도시에서는 혁신적인 도시 모델이 중심부에도 비교적 쉽게 적용됐다. 사회주의 국가에서는 도농 격차를 줄이고 주거 환경을 저밀도로 구성하는 것이 국가 정책의 우선순위였기 때문이다.

게다가 사회주의 국가에서는 교외 지역이 발달하기 어

려웠다. 교외 지역의 발달은 주택과 자가용을 소유하고 있는 중산층 모델이 있는 자본주의 도시에서만 나타나는 현상이다. 개인 주택이나 자가용 소유가 철저히 제한된 사회주의 도시에서는 교외라는 개념이 생기지 않았고, 마이크로 디스트릭트가 도시를 구성하는 주거 단위로 자리 잡을 수 있었다.

한국의 아파트 단지와 마이크로 디스트릭트의 가장 큰 차이는 단지 내 생산 시설의 유무다. 마이크로 디스트릭트는 코뮌이라는 개념을 근간으로 한다. 사회주의 국가에서 하나의 코뮌을 형성하는 요소는 노동과 생산이다. 공동 육아를 위한 탁아 시설, 공동 취사가 가능한 부엌이 들어선다. 이런 개념이 확장되면 공동 노동과 공동 생산이 가능한 시설도 단지 내에 도입된다. 주거 단지의 특성상 대규모 공장보다는 가내 수공업 단위의 생산 시설을 배치하는 경우가 많다.

사회주의 도시의 중요한 과제는 도시 안에서 노동과 생산을 만들어 내는 것이다. 많은 도시들이 지역 안에 여러 개의 공장을 세우거나, 하나의 단지 안으로 통합할 수 있는 공장을 여러 도시에 분산시켜 배치하는 계획을 세웠다. 사회주의 국가에서 생산 시설의 분배는 국토의 균형 발전이라는 측면에서 중요한 의미가 있었다. 개별 도시 안에서는 마이크로 디스트릭트가 지역 간의 불균형을 최소화하는 방법이었다. 단순히 노동자의 생활 편의를 중시해서는 아니었다. 우리는 주거와 노동을 분리해서 생각하지만, 사회주의 국가에서는 모든 국민이 노동을 통해 공동체에 소속될 수 있다고 생각했다. 노동이라는 행위는 일상적인 삶과 구분되지 않았다.

마오쩌둥毛澤東은 "도시는 소비의 공간이 아니라 생산의 공간이 되어야 한다"며 생산 영역의 중요성을 강조했다. 육체적인 노동만을 진정한 의미의 노동으로 보고, 교수나 학자 등 지식 노동 계층도 일정 기간 동안은 육체노동을 완수해야 한다고 주장하기도 했다. 사회주의 도시에서 노동자의 공간인 생산 시설은 도시의 핵심에 배치돼야 했다.

당시에도 도시에서는 생산 영역이 밀려나고 단순 소비 기능이 부각되는 현상이 나타나고 있었다. 도시에서 공장이 빠져나가는 것은 단순히 빈 공간이 생기는 것 이상이다. 도시 내에서 노동자 계층이 사라진다는 의미다. 서울에 살면서 전자 기업의 생산 라인에서 일하는 사람을 만나는 일은 교사나 의사, 샐러리맨, 금융 업계 종사자 등 다른 직군 종사자를 만나는 것보다 훨씬 더 어렵다. 수많은 가정에서 전자 기업의 제품을 사용하고 있는 데도 말이다. 생산 시설의 유무가 공동체 구성원의 성격을 바꾸는 것이다.

불과 얼마 전까지만 해도 서울에는 생산 기지가 있었다. 산업화의 전초 기지였던 구로 공단은 물론, 의류 산업을 필두로 하는 동대문 패션 공장도 있었다. 하지만 이런 산업이 쇠퇴하거나 사라지면서 노동자들은 설 곳을 잃었다. 문래동이나 성수동과 같은 준공업 지역의 사정도 비슷하다. 소규모 공장들이 터전을 옮기고 있는 실정이다. 국가 차원에서 보면 또 하나의 계층 갈등이 생기는 셈이다. 생산 공장이 사라진 중심부에는 엔터테인먼트와 패션 등 대중의 삶을 풍요롭게 하는 산업들이 자리 잡는다. 대규모 공장이 집중적으로 들어선 공단 도시는 서울 같은 대도시와 소득은 물론 삶의 질에서도 격차가 벌어진다.

생산 시설의 이전은 물리적 공간의 이전이 아니라 노동 계층의 이전이라는 점에서 계층 간의 사회적, 공간적 단절을 불러온다. 모든 계층이 어우러질 수 없는, 특정 계층을 위한 도시는 진정한 의미에서 건강한 도시라고 부르기 어렵다. 결과적으로는 구성원 전체가 지불해야 하는 비용도 증가한다. 우리가 미국 뉴욕 한복판에서 1만 원이 되지 않는 가격에 햄버거를 사 먹을 수 있는 것은 최저 임금을 받으며 햄버거를 만들고, 매장 청소를 담당하는 직원들이 있기 때문이다. 그러나 이들이 도시 내에서 거주할 수 있는 방법이 없다면 도시는 제대로 작동할 수가 없다. 최저 임금을 받는 노동자가 도시 밖으로 밀려나면, 도시에 사는 모두가 햄버거를 먹기 위해 매우 비싼 값을 치러야 하는 날이 올지도 모른다.

도시 생산 주거

현대 도시에서 주거와 생산은 구분이 무의미할 정도로 복잡하게 얽혀 있다. 주거와 생산은 도시를 살아 있게 만드는 핵심적인 요소가 되었다. 그래서 새로운 도시는 주거와 생산이 공존하는 공간이어야 한다.

산업화 시기에는 도시에서 생산 영역이 이탈하는 것을 막을 수 없었다. 하지만 이제는 일률적인 대량 생산보다는 소비자 개인의 취향을 반영하는 대량 맞춤 생산mass customization의 시대다. 대량 생산 시대에는 하나의 디자인, 하나의 기능을 가진 제품을 수십만 개 생산했고, 소비자는 거부감 없이 이런 제품을 소비했다. 하지만 이제는 대량 맞춤 생산을 통해 소비자 취향을 반영한 제품을 판매하고 있다.

대량 생산의 종말은 우리가 기존에 알고 있던 생산 시설의 개념도 바꾸어 놓았다. 공장의 컨베이어 벨트 위에서 똑같은 제품이 수만 개씩 만들어져 나오는 모습은 이제 보기 어렵다. 생산 시설이 커다란 규모 때문에 도시에서 밀려날 필요도 없다. 이제는 소규모 공장에서도 우리가 필요로 하는 생산품을 충분히 만들 수 있다.

이런 변화는 메이커 혁명과도 밀접하게 연관되어 있다. 대량 생산을 추구했던 산업화 시대에는 옷 만드는 공장이나 그릇을 만드는 공장은 있었어도, 만드는 사람이 누구인지는 드러나지 않았다. 하지만 대량 생산이 산업을 주도하는 시대가 끝나면서 만드는 사람들이 관심을 받고 있다. 미국 로체스터Rochester 공과대학 연구원 출신인 존 슐Jon Schull은 2013년 이네이블e-NABLE이란 기업을 설립해 3D 프린터로 만든 의수를 40여 개 국가에 수출하고 있다. 한국의 스타트업 중에도 비슷한 곳이 있다. 만드로Mand.ro 주식회사는 경기도 부천에서 서울의 을지로 세운상가에 있는 메이커스 큐브로 사무실을 옮겼다. 서울 시내 한복판에서 최첨단 기술을 이용해 커스텀 제품을 생산하는 일이 가능한 시대다.

소형 제품에만 해당되는 이야기가 아니다. 대량 생산의 대표 격인 자동차도 공정을 바꿀 가능성이 충분하다. 미국에 있는 로컬 모터스Local Motors라는 기업은 식료품 마트 규모의 작은 공장에서 3D 프린팅 기술로 자동차를 제작한다. 주문 생산만 받기 때문에 대량 생산에 필요한 대규모 시설이 필요 없다. 오픈 소스open source[5]를 이용해 자동차를 제작하는 로컬 모터스는 최근 자율 주행 전기 자동차를 만들기 시작했다. 내연 기관을 생산하지 않으니 환경 오염을 일으킬 문제도 없고, 대형 마트보다도 작은 규모의 공간만 있으면 제조 기업으로 활동할 수 있다. 앞으로는 이런 형태의 공장이 도시 내에 들어설 가능성은 더 높아질 것이다.

IT 전문지《와이어드Wired》편집장이자, 로봇 공학 기업인 3D 로보틱스Robotics 창립자 크리스 앤더슨Chris Anderson은 저서 《메이커스Makers》에서 기술 발달과 플랫폼의 변화로 생겨난 메이커 문화에 대해 설명했다. 과거에는 시장이나 백화점이 유일한 소비의 플랫폼이었지만 더 이상 이런 방식의 구매 패턴이 소비 시장을 지배하지 않는다. 소비자는 직접 매장에 가서 물건을 사는 것보다 인터넷을 통해 구매하는 것을 선호한다. 이로 인해 미국의 서점 체인 보더스Borders와 장난감 유통업체 토이저러스Toys R Us, 스포츠 용품 유통업체 스포츠 오소리티Sports Authority 등이 지난 10년 동안 사업을 접거나 대폭 축소했다. 반면 온라인 유통 기업인 아마존Amazon은 끊임없이 성장하고 있다.

메이커 혁명은 인스타그램과 페이스북, 트위터 등 소셜 네트워크를 통해 더 확대된다. 사람들은 자신이 만든 제품을 인스타그램에 올려 홍보하고 소비자에게 직접 구매 신청을 받아 판매한다. 그들은 제품을 생산하고 판매하기 위해 대단한 공간을 필요로 하지 않는다. 집에서 작업을 하거나 경우에 따라서는 여러 명이 공유하는 작은 공방을 이용하기도 한다. 소셜 네트워크를 통해 소비자와 직접 소통하기 때문에 맞춤 제작이 가능하며, 물건 판매를 위한 전시장을 갖추지 않아도 된다.

건축 역사가이자 비평가인 니나 래파포트Nina Rapaport는 그의 저서 《수직 도시 공장Vertical Urban Factory》에서 이런 형태의 산업을 신가내수공업neo-cottage industry이라고 불렀다. 가내 수공업이라고 하면 산업혁명 이전의 전근대적인 시스템을 떠올리기 마련이다. 좁은 집에서 여러 명이 둘러앉아 일하는 형태의 가내 수공업은 산업화 시대에도 지속됐던 것으로, 기술보다는 노동력이 중요한 일이다. 반복 작업은 정교한 기술이 없는 조건에서 대량으로 제품을 생산하는 유일한 방법이었다.

래파포트가 말하는 신가내수공업은 다르다. 기술 없이 긴 시간 동안 노동력을 투입해야 하는 대량 생산 방식과는 다르다. 맞춤 생산이 가능하기 때문에 대량 생산 제품보다 더 높은 부가 가치를 만들어 낸다. 유통과 판매, 마케팅 비용을 줄일 수 있어서 기존의 맞춤형 제품보다 가격 경쟁력도 높다. 신가내수공업의 발달은 앞으로 주거와 생산이 어떻게 결합될 수 있는지를 보여 준다. 생산 시설이 도시 밖으로 퇴출당하면서 쫓겨나야 했던 생산 계층은 도시로부터 단절을 경험할 수밖에 없었다. 생산 기능이 사라진 도시가 소비의 도시로 전락하면서 지역 간 불균형이 문제되기 시작했고, 생산 계층과 소비 계층의 갈등 역시 깊어졌다. 도시 내 생산 시설의 복귀, 주거 공간과의 결합은 지역 순환 경제라는 새로운 자생적 모델을 제시한다.

그동안 도시는 경쟁력 확보를 위해 일자리를 창출하고, 구매력을 높이려 했다. 기업을 유치하는 것이 대표적인 예다.

한 도시가 일자리 창출을 위해 글로벌 금융 기업을 유치했다고 가정해 보자. 직간접적으로 일자리가 창출되고, 도시의 경쟁력도 한동안 오를 것이다. 하지만 10년 후에 이 기업이 다른 도시로 이전하면 어떻게 될까. 누구도 기업의 이전을 막을 수는 없다. 10년 전에 이 도시가 글로벌 금융 기업을 유치하기 위해 제공했던 혜택들을 이제 다른 도시에서 제공하겠다고 하면, 기업 입장에서는 기존의 도시에 머물러야 할 이유가 없다.

결국 도시의 발달을 위해서 중요한 것은 기업 유치나 일자리 창출이 아니라 자생할 수 있는 구조를 갖추는 일이다. 지역 순환 경제를 만드는 일에 주목해야 하는 이유다. 지역 기업을 성장시키고, 이를 통해 그 지역의 주민들이 혜택을 누리는 구조는 외부 요소에 큰 영향을 받지 않는다는 점에서 자생력이 강한 형태다.

도시 생산 주거도 마찬가지다. 도시 생산은 일자리 창출을 위해 인위적으로 대규모 생산 시설을 도입하는 것과 다른 개념이다. 오히려 해당 지역에서 발전시킬 수 있고, 지역의 특색과 맞물려 있는 생산 업종을 새로운 기술과 플랫폼을 통해 성장시킨다는 의미다.

지역 순환 경제 모델 아래서는 지역에서 생산된 물건이 지역에서 소비된다. 서구권에서는 이미 여러 도시에서 나타나고 있다. 지역에서 생산된 계란, 우유, 채소, 햄 등의 식재료를 판매하는 마트나, 반경 몇 킬로미터 안에서 재배되는 재료로만 요리하는 식당이 주목을 받고 있다. 지역에서 생산되는 식료품을 소비함으로써, 소비자는 해당 지역의 소상공인과 하나의 경제 체인으로 엮이고 상생할 수 있다. 과정을 확인할 수 있다는 점에서 소비자의 입장에서도 믿을 수 있는 선택지가 늘어나는 셈이다. 도시 생산 주거는 지역 순환 경제를 더 활발히 만들 수 있다. 지역 순환 경제에 대한 논의가 식료품 공급을 중심으로 진행되고 있다면, 도시 생산 주거는 지역 순환 경제의 범위를 생활용품을 비롯한 지역의 특산품까지 확대시킨다.

도시 생산 주거가 활발하게 작동할 경우 본업은 서비스업이지만, 퇴근 후에는 집에서 강아지 용품을 만들어 파는 사람이 나타날 수 있다. 평일에는 대기업 사원으로 일하다가, 주말에는 지역의 명물인 수제 맥주를 만드는 소규모 양조장의 대표가 될 수도 있다. 생산자와 소비자의 경계가 허물어진다는 것은 그만큼 다양한 계층의 사람들이 모여 사는 도시가 된다는 의미다. 도시 생산 주거는 도시 안에서 생산의 기능을 회복하고, 생산 기능이 주거 생활과 밀접하게 연결될 수 있는 모델이다.

도시 생산 주거는 기존에는 공존할 수 없을 것처럼 보였던 생산과 주거의 융합을 말한다. 도시 생산은 이제 악취와 오염, 매연이 가득한 공장 지대가 생긴다는 사실을 의미하지 않는다. 앞으로의 도시 생산은 일상의 영역에서 작동할 것이다. 따라서 도시 생산이 인간의 삶에서 중요한 요소 중 하나인 주거와 어떻게 공존할 수 있을지를 묻는 것이 도시의 미래를 계획하는 기준이 되어야 한다. 새로운 산업혁명 시대에 생산과 주거는 분리된 영역이 아니다.

서울만의 문제가 아니다

2018년 봄, 니나 래파포트와 공동 큐레이터를 맡아 도시 생산 주거에 관한 흥미로운 전시를 기획했다. 도쿄, 서울, 베이징, 타이베이 등 아시아의 대도시를 연구하는 건축가들에게 각자의 도시에서 생산과 주거 영역이 어떻게 공존할 수 있을지를 고민해 보자고 제안했다. 와세다 대학 건축과 교수인 일본의 고바야시 게이고小林惠吾, 중국의 아틀리에 앨터Atelier Alter 대표인 장잉팡张继元과 부샤오준卜驍駿, 대만의 건축가이자 큐레이터 황 엘리사 조쑨黃若珣, 서울대학교 존 홍John Hong 교수가 참가했다. 도시화로 인한 문제를 겪고 있는 국가들이 도시 생산 주거라는 모델을 통해 새로운 도시 문화와 환경을 만들어 나갈 수 있다는 사실을 확인하는 자리였다.

고바야시 교수는 인구 감소와 노령화, 저출산 등으로 인한 도쿄의 빈집 문제에 주목했다. 고바야시 교수는 도쿄의 중심부에서 동쪽에 위치한 스미다墨田구에 필요한 건축 형태를 제안했다. 이 지역은 도쿄에서 처음으로 근대적 의미의 마스터플랜이 적용된 곳이다. 도쿄는 농업 지역이었던 스미다구를 공업 도시로 바꿨다.

1960년대 스미다구는 인구수와 공장 수가 최고점에 도달했고, 섬유나 금속으로 된 생활 제품, 비누 등을 생산했다. 그러나 곧 환경 문제가 대두되며 큰 공장들이 도시를 떠났고,

2018년 3월 팔레 드 서울에서 열린 〈도시 생산 주거〉 전시장 풍경

가족 경영을 하는 작은 공장만이 주택 사이에 남아 지역의 일자리를 창출했다. 현재는 이런 공장마저 노동자의 고령화로 숙련된 기술자를 찾기가 어려운 실정이다. 고바야시 교수는 문이나 창호, 계단이나 발코니 등을 주문 생산하는 공장을 도입하고, 여기서 만든 물건이 주변의 빈집을 개조하는 데 사용되는 도시 생산 주거의 모델을 제안했다. 독거노인들이 생산 과정에 참여함으로써 공동체의 일원이 된다는 목표로, 공장이라는 공간이 노년 세대에 필요한 교류의 장이 되는 것을 꿈꿨다.

도쿄가 서울에 비해 더 빠른 속도로 탈산업화와 인구 감소 문제가 떠오른 곳이라면, 타이베이는 서울과 비슷한 단계의 문제를 겪고 있는 도시다. 황 엘리사 조쑨은 위탁 생산OEM 산업에 의존하던 타이베이의 섬유, 패션 산업 단지에 주목했다. 대만의 섬유 산업은 대만 경제의 번영을 이끈 산업이었지만, 글로벌 기업들이 자동화 생산 설비를 갖추고 자국 공장을 만들면서 위기를 맞았다. 동시에 대만에 기반을 둔 소규모 브랜드는 로컬 마켓을 만들어 내며 성장하고 있다. 문제는 이들이 양질의 제품을 생산할 수 있는 중규모 공장이 없다는 점이다. 황 건축가는 타이베이 섬유 시장의 중심인 다다오청大稻埕 지역에 주거 공간을 만드는 방안을 제시했다. 패션 디자이너와 섬유 관련 노동자 등이 같은 공간에 머물면서 재료 공급과 생산, 유통 등의 과정이 한 지역 내에서 이뤄지는 것이다.

그의 작업은 서울의 완구 산업 메카였던 창신동을 주제로 삼은 존 홍 교수의 프로젝트와도 연결된다. 홍 교수는 기술 노동자의 노하우가 남아 있는 지역의 장점을 살려 완구 산업이 AI 기술과 융합되면 부가 가치가 높은 장난감을 생산할 수 있다고 본다. 완구 시장 근처에는 전자 제품 시장이나 봉제 공장, 변호사나 회계사 사무소 등이 있어 제품 생산부터 비즈니스 운영까지 필요한 도움을 얻을 수 있다. 이를 위해 자동차가 다니기 어려울 정도로 좁은 골목의 장점을 살려 보행자가 중심이 되는 컨베이어 벨트 형태의 복합 공간을 제안했다.

베이징에서는 다른 도시가 겪은 문제들이 이제 막 시작되고 있다. 아틀리에 앨터는 베이징 노동자의 강제 이주 문제를 다뤘다. 도시는 소수의 엘리트만을 위한 곳이 아니라는 문제의식을 기반으로, 노동자 가족을 위한 거주 공간을 제안했다. 아파트와 유치원, 공장과 박물관 등의 유닛이 하나의 건물 안에 수직 형태로 자리 잡는 것이다. 이들의 제안을 통해 도시 생산 주거라는 형태가 다양한 방식으로 우리가 사는 도시에 적용될 수 있다는 점을 확인했다. 도시 생산 주거는 특정 지역의 문제를 해결하기 위한 모델이 아니라, 이 시대에 보편적으로 나타나는 도시 문제에 대처할 수 있는 하나의 시각이다. 앞으로 주거와 생산의 결합은 제품 생산에만 한정되는 모델이 아니라, 지식이나 콘텐츠 생산처럼 다양한 방식으로 확대될 것이다.

많은 이들이 4차 산업혁명에 대비해야 한다고 말한다. 인공지능을 필두로 한 정보 산업이 발달하면 인간의 일자리가 없어질 것이라고 경고하는 목소리도 있다. 4차 산업혁명이 우리의 삶과 일자리에 막대한 영향을 미칠 것이라는 전망은 기정사실이다. 하지만 우리가 만들어 가야 할 미래 도시는 기술로 인한 편의 이상의 것을 제공하는 공간이 되어야 한다. 빅데이터를 활용해 통근 시간을 절반으로 줄여 주는 스마트 도시를 이야기하기 전에, 공간적으로 통근이라는 개념이 존재하지 않도록 설계할 수도 있다. 사물 인터넷으로 도시를 연결하려는 계획을 세우기 전에, 사람과 사람을 연결해 공동체가 회복될 수 있는 계획을 세우는 것이 바람직하다고 생각한다.

사회주의 도시에서 배울 것이 있다면 적극적으로 배워야 한다. 우리가 몰랐던 사회주의 도시의 장점과 교훈이 미래 도시 설계에 도움이 된다면 마다할 이유가 없다. 사회주의 도시가 역사상 가장 성공적인 도시 모델이라는 이야기는 아니다. 사회주의 도시가 꿈꾸던 공동체 사회는 대량 생산과 효율성이 강조되던 시기에 발달하면서 부작용을 낳은 것도 사실이다. 비효율적인 생산 방식은 물론이고, 주거 지역 인근에 낙후된 공장이 있다는 것은 분명 좋지 않은 도시 모델이자 주거 모델이었을 것이다. 그러나 사회주의 도시의 개념 자체가 잘못됐다고 말할 수는 없다. 사회주의 도시 모델 안에 녹아 있는 공동체에 대한 철학은 그동안 우리 도시가 무엇을 잃어 가고 있었는지 보여 준다.

공원이나 광장과 같은 공간도 중요하지만, 도시 내의 생산 시설에 대한 논의도 필요하다. 사회주의 도시에서 도시 생산 시설은 도시 공간의 균등화를 위해서 도입된 개념이다. 주거 단위에서 공동 생산을 통해 공동체를 강화하는 목적도 있다. 사회주의 도시 모델에서의 마이크로 디스트릭트는 직장과 주거가 인접해 있어야 한다는 직주 근접의 원리를 실현하면서도, 공동 생산을 통해 생산과 소비가 하나의 단위에서 일어나게 함으로써 자생적인 공동체를 만들어 낸다. 도시 생산과 주거는 불균형 발전과 공동체 해체의 위기에 직면한 한국의 도시가 고민해야 할 요소임에 틀림없다.

아파트 개발과 기억의 리셋

서울은 이미 세계적인 도시다. 행정 구역 안에만 1000만 명의 인구가 살고 있고, 수도권 인구까지 더하면 약 2500만 명 규모에 이른다. 한국 인구의 절반에 해당하는 비율이다. 전 세계 어디를 가도 하나의 도시에 이렇게 높은 비율로 인구가 집중돼 있는 곳을 찾아보기 어렵다.

서울은 경제적으로나 문화적으로도 성숙한 도시다. 인

구 1000만이 넘는 30여 개 도시 중에서 서울보다 경제력이 높은 도시는 대여섯 곳에 불과하다. 서울은 600제곱킬로미터 정도의 매우 작은 면적 안에서 고밀도로 발달하며 새로운 산업 모델을 만들기도 했다. 전자, 전기 산업의 메카였던 을지로는 '재료만 있으면 탱크도 만들 수 있다'는 말이 나올 정도로 기술 수준이 높았다. 도심에서 금속 용접 산업이나 인쇄업, 전자 부품을 구할 수 있는 도시는 그리 많지 않다. 한국의 IT 산업은 어떤가. 아파트 단지 안에 하나의 광케이블을 두고 수백 가구가 접속해서 쓰는 것은 기적적인 일이다.

하지만 개발의 시대를 지나 저성장 시대에 접어든 지금, 서울에도 새로운 패러다임이 필요하다. 서울의 주거 영역은 오래 전에 대규모 아파트에 점령당했다. 2017년 통계청 조사에 따르면 국내 아파트 주거 비율은 60퍼센트에 육박한다. 인구의 절반 이상이 아파트에 산다는 이야기다. 제한된 면적에 많은 인구가 사는 한국에서는 어쩔 수 없는 선택이라고 하지만, 서울보다 인구 밀도가 더 높은 도시에서도 아파트 대단지 개발이 50여 년에 거쳐 지속되고 있는 사례는 없다.

1960년대부터 시작된 서울의 아파트 개발 역사는 반세기를 넘겼다. 강남에 대규모 아파트 단지가 본격 개발되기 시작한 1970년대부터 계산해도 40년이 지났다. 《아파트 공화국》의 저자 발레리 줄레조Valerie Gelezeau는 "서구의 아파트가 주

북저널리즘은
책처럼 깊이 있게,
뉴스처럼 빠르게
우리가 지금, 깊이
읽어야 할 주제를
다룹니다.

독자님, 안녕하세요. 북저널리즘입니다.

북저널리즘은 북과 저널리즘의 합성어입니다. 책처럼 깊이 있게, 뉴스처럼 빠르게 우리가 지금, 깊이 읽어야 할 주제를 다룹니다. 단순한 사실 전달을 넘어 새로운 관점과 해석을 제시하고 사유의 운동을 촉진합니다.

복잡하고 경이로우며 빠르게 변화하는 세상을 깊이 이해하기에 책은 너무 느리고 뉴스는 너무 가볍습니다. 북저널리즘은 책의 깊이에 뉴스의 시의성을 더했습니다. 전문가의 기자화를 통해 최소 시간에 최상의 지적 경험을 제공합니다. 《가디언》, 《이코노미스트》와 파트너십을 체결하고 관점이 뚜렷한 글로벌 콘텐츠도 전달합니다.

북저널리즘의 멤버십 서비스 '북저널리즘 프라임'에 가입하시면
① 북저널리즘의 모든 콘텐츠를 무제한 이용할 수 있습니다.
② 컨시어지, 주간 브리핑 등 프라임 전용 서비스를 이용할 수 있습니다.
③ 다양한 커뮤니티 모임에 우선 초대 및 할인 혜택을 받을 수 있습니다.

앞으로도 최고의 저자를 찾아 최상의 콘텐츠를 만들어 현명한 독자님에게 전하겠습니다. 저널리즘의 본령을 지키는 일에 동참해 주셔서 고맙습니다.

● 젊은 혁신가를 위한 콘텐츠 커뮤니티

로 노동자를 위한 국민 주택으로 기획됐다면 한국의 아파트는 독재 정권이 재벌과 손잡고 이루어 낸 한국적 발전 모델의 압축적 표상"이라고 했다. 그의 말처럼 한국, 특히 서울의 아파트 개발은 한국의 경제 개발과 밀접한 관계에 있다.

대규모 개발 과정에서 공동체의 붕괴는 당연한 수순이었다. 수년간 한 동네에서 살던 사람들이 아파트 개발이라는 명목 아래 흩어졌고, 공동체는 사라졌다. 아파트라는 공간에는 서로 데면데면한 입주민들이 들어왔다. 아파트 개발 초창기에는 그래도 나았다. 마을 공동체 생활에 익숙했던 아파트 입주 첫 세대는 아파트로 이사한 후에도 반상회를 열고 경로당을 운영하며 공동체 생활을 이어 갔다. 하지만 이제 그런 모습은 찾아보기 어렵다. 지금의 아파트 단지에는 마을 공동체나 골목길, 자투리 마당처럼 옹기종기 모여 앉아 이야기할 수 있는 공간이 없다. 과거에는 복도가 아이들이 술래잡기를 하고 어른들이 이웃을 만나는 공간으로 쓰였지만, 전용 면적을 늘리기 위해 그마저도 없애는 단지가 많다.

아파트 공간 내부에서는 발코니가 사라졌다. 발코니는 아파트에서 자연을 느낄 수 있는 통로이자, 내외부 사이에서 완충 역할을 하는 절반의 공공 공간semi-public space이었다. 건설사들은 설계도에는 발코니를 넣어 시공 허가를 받았다가, 허가가 떨어진 후에는 발코니를 거실 등 실용적인 공간으로 바꾸는 방법을 사용한다. 입주자들도 발코니가 없는 대신 거실이 넓은 집을 선호한다.

우리나라에서 아파트에 살겠다는 것은 외부와 단절된 채로 지내겠다는 의미다. 아파트 개발의 목표는 더 높은 가격으로 팔리는 아파트를 만드는 것이다. 공동체 논의가 들어올 틈이 없다. 아파트에 거주하는 사람은 이웃 주민들과 단절될수록 더 안전한 공간이라고 느낀다. 비교적 최근에 지은 아파트에 사는 친구 집에 갔다가 깜짝 놀란 적이 있다. 단지 입구에서부터 지하 주차장에 차를 대고, 친구 집에 들어서는 순간까지 약 4~5단계의 보안 장치를 통과해야 했다. 단절이 안전이라는 말로 포장돼 아파트 가격을 높이는 요소가 되는 것이다.

아파트가 소비재로 거래되며 입주자가 내가 사는 곳을 삶의 터전으로 인식하고 애착을 느끼기도 어렵게 됐다. 지금 살고 있는 아파트는 좋은 교육 환경, 적정한 가격 등 조건을 충족해서 택한 것일 뿐, 이유가 없어지면 언제든 떠날 수 있는 곳이다.

아파트를 개인과 가정의 삶이 묻어나는 장소라고 여겼다면 이처럼 많은 사람들이 똑같은 구조의 집에 살지는 않았을 것이다. 우리 사회는 아파트를 단순한 소비재나 재테크 수단으로 보는 것에 익숙하다. 이런 관점으로 아파트를 보면 평수와 가격만이 중요해진다. 한국에서 대부분의 아파트 공간

구조가 비슷한 이유이자, 국민의 과반수가 공동체 없는 공동체에서 살게 된 배경이다.

아파트 재건축은 그나마 생겨날 수 있는 공동체조차 정기적으로 소멸시킨다. 최근 서울 둔촌주공아파트의 재건축을 앞두고 입주민의 이사가 진행됐다. 1980년에 준공된 둔촌주공아파트는 한국에서 가장 오래된 아파트 단지 중 하나로, 그 규모만 62만 제곱미터가 넘는다. 큰 면적에 걸맞게 세대수도 6000여 세대에 육박한다. 둔촌주공아파트는 2018년 철거 과정을 거쳐 약 1만여 세대를 위한 아파트 단지로 재건축되고, 약 4만 명이 새 단지에 입주할 예정이다. 서울 시내 아파트의 재건축 마라톤은 약 10년 전 잠실주공아파트의 재건축으로 시작했다. 현재 둔촌주공아파트, 잠실주공아파트 5단지와 반포주공아파트, 은마아파트 등이 재건축을 앞두고 있다.

어찌 보면 당연한 흐름이다. 재건축 아파트 단지들은 정부가 서울의 강남을 개발하려는 의지로 1970년대에 대규모로 세운 곳들이다. 콘크리트로 지은 아파트의 수명이 30~40년이라는 것을 고려할 때 대규모 아파트 단지들의 안전성 문제는 지금 시점에서 꼭 짚어야 하는 문제다. 지금은 강남 특정 지역에만 국한된 이야기지만, 앞으로는 서울은 물론 수도권 아파트의 대부분이 재건축 사정권으로 들어오게 된다.

노태우 정권 당시 건설된 아파트 200만 호가 곧 30년을

철거 직전의 둔촌주공아파트

맞는다. 당시의 아파트 건설 과정은 지금보다 부실 공사가 만연했기 때문에 재건축은 가까운 미래에 시급한 과제로 다가올 것이 분명하다. 주민들이 지속해서 가꿔 나갈 수 있는 시스템이 아니라, 30~40년마다 업그레이드가 필요한 아파트 단지 안에서 공동체가 자라날 가능성은 희박하다.

아파트 재건축이 불러올 위기는 강남의 재건축 시장을 잡겠다는 근시안적 접근으로는 해결되기 어렵다. 아파트 재건축 과정에서 우리가 잃게 되는 것은 무엇인지를 물어야 한다. 둔촌주공아파트 단지에는 '안녕, 둔촌주공아파트'라는 이름의 모임이 있다. 어릴 때부터 이 단지에서 자라며 추억을 공유한 젊은 세대가 모여서 곧 사라질 아파트 단지에 담긴 이야기를 기록하는 자리다. 깨끗한 아파트를 분양받아 살게 된다고 해서 어릴 적에 즐겨 찾던 놀이터와 40년 동안 길게 자란 나무가 있는 고향의 모습을 지워 버리기는 쉽지 않다. 평생을 이 아파트에서만 보낸 30대, 40대 일부 주민들에게 둔촌주공아파트의 재건축은 기억의 축적이 아니라 기억의 리셋이다. 재건축을 경험한 세대는 한 동네에 기억을 쌓으며 살아갈 이유를 잃는다.

공동체는 한 마을이나 동네, 지역에 오랜 시간 거주하면서 자연스럽게 만들어진다. 마을 만들기 운동을 한다고 공동체가 형성되지는 않는다. 아파트 단지라고 해서 단독 주택 단지와 같은 공동체가 만들어지지 않는 것도 아니다. 주거 공간이 부모 세대부터 자녀 세대까지 연속성을 가질 때 사회 공동체는 자연스럽게 생성되고, 그 공동체는 민주주의 사회를 만드는 토대가 된다. 내가 잠깐 살다 가는 곳이 아니라 부모님이 살았던 곳이고, 앞으로 자녀들이 자라날 곳이라면 지역 발전과 환경 개선을 위한 토론이 활발하게 일어날 수밖에 없다.

이야기가 있는 도시로

영국의 프로젝트 그룹 어셈블Assemble은 리버풀 도시 재생 프로젝트를 성공적으로 수행해 2015년 아티스트가 아닌 단체로는 최초로 터너상Turner Prize을 수상했다. 터너상은 런던의 현대 미술관 테이트 모던Tate Modern을 운영하는 테이트 브리튼Tate Britain 재단이 수여하는 상으로, 매해 영국에서 활동하는 가장 주목할 만한 예술가에게 주어진다. 어셈블은 인구 감소와 슬럼화 문제를 겪는 리버풀 그랜비Granby 지역에서 생활하면서, 지역 주민들이 자발적으로 낡은 집을 수리하고 내부에 정원을 만드는 등 삶의 환경을 바꾸어 나갈 수 있도록 도왔다. 이 과정에서 지역 주민들이 함께 모여 공예품을 만들 수 있는 공간과 프로그램을 개발했다. 당시 이 지역에는 빈집은 물론, 철거되는 집들이 많았다. 남아 있는 주민들은 철거된 집에서 나온 소품이나 폐자재를 활용해 새 제품을 만들어 팔았다.

그랜비 지역의 공동체 회복과 마을 재생의 사례는 미래의 도시 계획에 시사점을 준다. 우리는 흔히 쇠락하는 도시를 살리기 위해서는 관광 산업을 유치해야 한다고 생각한다. 일자리 창출과 지역 경제 소생을 위해 광업이 쇠퇴한 곳에 새로운 카지노 등 위락 시설을 유치하고, 농업이 쇠퇴한 곳에 새로운 리조트를 세우는 식이다. 물론 그중 일부는 성공을 하지만 대부분의 경우 지속 가능한 발전으로 이어지는 데는 한계가 있다. 지역 경제가 살아나더라도 외부의 노동력을 투입해 만든 성과라면, 원주민들은 적합한 일자리를 찾지 못해 방황하게 된다. 초기에는 잘 운영이 되다가 다른 지역에 산업을 빼앗기는 경우도 있다.

일본 고베시의 마노真野 지구는 마을 사업으로 명성을 얻은 지역이다. 마노 지구는 소규모 공장이 밀집해 있던 곳으로, 공해 추방을 외치는 지역 주민의 모임이 활발했다. 일본 정부는 1995년 고베 대지진 이후 복구 과정에서 마노 지구에 새 마을 만들기 사업을 추진해 성공을 거둔다. 사업의 성공 요소로는 많은 것을 꼽을 수 있지만, 가장 눈에 띄는 점은 기존에 있던 공업 지역의 성격을 유지하면서 주거와 생산이 공존할 수 있는 모델을 만들었다는 점이다. 주민들은 생산 영역과 주거 영역의 공존이 더 건강한 커뮤니티를 만들 수 있다고 믿었고, 마을에 공해를 유발하지 않는 친환경 공장을 열었다.

덕분에 지역 주민들은 도시 공간 면에서는 직주 근접 모델을 실현하고, 경제적으로는 지역 순환 경제 시스템을 구축했다.

2018년 캐나다 밴쿠버의 금융 회사 월 파이낸셜Wall Financial은 스트라스코나 빌리지Strathcona Village라는 복합 용도 건물을 세웠다. 밴쿠버 도심에서 동쪽에 위치한 스트라스코나 빌리지는 주거용 아파트와 경공업 중심의 생산 공간이 함께 있는 새로운 형태의 거주 모델이다. 이 건물에는 약 350개의 방이 있다. 280개는 상업 공간, 70개는 사회 주택이다. 저층부의 상업 공간은 소규모로 활동하는 예술가나 로컬 제품 생산자, 스타트업을 위해 만들었다. 상층부를 높은 가격에 임대하고, 그 이익으로 사회 주택이나 생산 공간의 임대료를 지원해 지역 주민의 비용 부담을 낮추는 순환 경제 모델을 지향한다.

서울에서는 주거 공급이 진행될수록 공동체가 파괴되는 역설이 발생한다. 많은 마을이 수년 전부터 도시 재생이라는 이름으로 공동체 수호에 노력을 기울이고 있지만 효과는 크지 않다. 공동체를 만들고 유지하는 일은 매우 오랜 시간이 필요한 것이기에 조급할 필요는 없다. 하지만 공동체의 몰락을 부추기는 현재의 주택 공급 방식에 대한 대안 없이, 남아 있는 마을 공동체를 지키는 일만 주목한다면 우리는 끝내 공동체 소멸을 막을 수 없을 것이다. 또 재건축을 통해서든 재개발을 통해서든, 새롭게 공급되는 아파트 단지에서 공동체를 만들어 나갈 묘안을 찾아내지 못한다면 개인과 개인, 집단과 집단 간의 단절도 심화될 수밖에 없다.

　도시 생산 주거는 공동체의 위기 속에서 새로운 공동체 회복의 가능성을 제시한다. 생산은 더 이상 대규모로 이루어지지 않으며, 새로운 기술의 발달 덕분에 우리의 삶에 악영향을 미치는 요소도 아니다. 오염과 소음, 먼지와 악취의 대명사인 공장은 도시에서 밀려날 수밖에 없었지만, 새로운 생산 방식은 공장의 귀환을 충분히 가능하게 한다. 새로운 생산 방식을 가진 공장의 복귀는 우리 도시가 공동체를 회복하는 데 중요한 역할을 해낼 수 있다. 생산이라는 것은 혼자서도 가능하지만 많은 경우 공동의 노력을 필요로 한다. 이 공동의 행위를 통해 사회는 새로운 정체성을 갖출 수 있다.

　북한의 경우 주민들이 자체적인 경제 순환 구조를 갖출 수 있도록 주택 소구역 개념을 도입했다. 북한은 현재 사회주의 협동조합이라는 지역 단위의 시장 경제 활동을 부분적으로 허용한다. 누군가 옷을 만들거나 그물을 짓는 데 뛰어난 기술을 가졌다면, 잉여 생산을 통해 지역 주민들에게 판매할 수 있다. 이 사업이 더 성장하면 누군가를 고용하는 대신 지역의 다른 사람과 협동조합을 만들어 사업을 성장시켜 나갈 수 있다. 주거 공동체의 최소 단위, 즉 마이크로 디스트릭트를 기반으로 하는 지역 순환 경제의 한 사례라고 평가할 수 있다.

북한은 경제 제재를 극복할 수 있는 자생의 방법으로 도시 생산과 도시 주거의 결합인 마이크로 디스트릭트를 활용했지만, 서울에서는 지역 순환 경제를 만들기 위한 장치로 충분히 활용될 수 있다. 지역 순환 경제는 궁극적으로 외부 요인을 최소화하고, 자생적인 경제 시스템을 만드는 것을 목표로 한다. 지역 주민들은 공동의 경제적 이익을 위해 서로 조합을 결성하고, 경제 활동에 참여하며, 이는 다시 지역 경제 활성화의 원동력으로 선순환한다.

우리 도시의 미래를 상상해 보자. 공상 과학 영화에서처럼 자동차가 하늘을 날고, 구름 높이를 넘는 초고층 빌딩이 빽빽이 들어서 있을까. 나날이 발전하는 기술을 보면 먼 미래의 이야기도 아닌 것 같다. 하지만 지금의 도시가 안고 있는 문제들을 무시하고 기술적으로만 진보한다면, 엄밀히 말해 미래 도시라고 말할 수 없을 것이다.

건너편에 사는 청년이 만든 머그컵에, 동네에서 볶은 커피 원두를 이용해 내린 커피를 마신다. 윗집에 사는 아저씨가 만든 수제화를 신고 출근하고, 퇴근 후에는 동네에서 함께 만든 된장찌개로 저녁상을 차린다. 첨단 기술은 없지만 우리가 생활하는 데 필요한 기술은 모두 있다. 우리가 상상할 미래 도시는 이런 것이다. 미래 도시를 위한 상상력에는 우리에게 필요한 공동체의 생활 방식이 담겨야 한다.

주와 참고 문헌

주

1 _ 최은경, 〈[취재일기] '부자 도시' 울산의 몰락〉, 《중앙일보》, 2018. 10. 18.

2 _ 밥공장은 북한에서 일정한 수수료를 받고 주민들에게 밥을 공급하는 곳이다. 대량으로 밥을 지어 주민들이 필요한 시간에 받아 갈 수 있게 한다. 주로 도시의 주택 밀집 지역에 구역 단위로 1~2곳이 설치되어 있으며, 평양에는 한꺼번에 1000인분의 밥을 지을 수 있는 곳도 있다.
〈밥공장〉, 《한국민족문화대백과사전 – 네이버 지식백과》

3 _ 리순건, 《주택 소구역 계획》, 국립건설출판사, 1963.

4 _ 약 20년 동안 방치됐던 미국 맨해튼의 화물 전용 고가 철도를 시민들이 이용할 수 있는 공원으로 탈바꿈시킨 프로젝트다. 세계에서 가장 성공적인 도시 재생 사례로 꼽힌다.

5 _ 무상으로 공개된 소스 코드 또는 소프트웨어. 소프트웨어의 설계도에 대항하는 소스 코드를 인터넷 등을 통해 무상으로 공개하고, 누구나 이것을 개량해서 재배포할 수 있도록 하는 것이다. 전 세계의 누구나 자유롭게 개발에 참여하는 것이 우수한 소프트웨어를 만드는 데 도움이 된다는 생각에 바탕을 두고 있다.
〈오픈 소스〉, 《두산백과 – 네이버 지식백과》

참고 문헌

전우용, 《서울은 깊다》, 돌베개, 2008.

리화선, 《조선건축사》, 발언, 1993.

이왕기, 《북한건축 또 하나의 우리 모습》, 서울포럼, 2000.

임동우, 《평양 그리고 평양 이후》, 효형출판, 2011.

서울시정개발연구원, 《서울과 평양의 도시 간 교류 및 협력방안 연구》, 서울특별시, 2007.

발레리 줄레조(길혜연 譯), 《아파트 공화국》, 후마니타스, 2007.

크리스 앤더슨(윤태경 譯), 《메이커스》, 알에이치코리아, 2013.

Eve Blau, Ivan Rupnik, 《Project Zagreb: Transition as Condition, Strategy》, Practice. Actar, 2007.

Nina Rappaport, 《Vertical Urban Factory》, 2014.

James H. Bater, 《The soviet city: ideal and reality》, Sage Publications, 1980.

Oliver Wainwright, 《Inside North Korea》, Taschen, 2018.

Michele Bonio, Fillippo De Pieri, 《Beijing Danwei: Industrial Heritage in the Contemporary City》, Jovis, 2015.

북저널리즘 인사이드　　미래 도시에 필요한 질문

아침에 일어나 창문을 열면 넓은 공원이 보인다. 대부분의 사람들은 집 근처의 직장에 다니고 있다. 교통 체증이 없는 출근길은 여유롭다. 주말이면 광장에서 열리는 이벤트에 참여할수 있다. 쇼핑몰이나 카페, 극장에 가서 돈을 쓰지 않고도 휴식을 취할 수 있는 공공의 공간이 곳곳에 있다.

북한의 수도 평양은 이런 이상적인 도시를 꿈꿨다. 평양에서 녹지는 도시화를 막아주는 완충 지대로, 반드시 지켜야할 공공 자산이었다. 북한 체제를 선전하는 장소로만 알려져있는 김일성 광장은 주민들의 휴식을 목적으로 설계된 공간이기도 했다. 공장은 밀어내고 편의 시설만 남기는 많은 도시들과 달리, 평양은 일터와 주거 공간이 공존하는 삶을 지향했다.

물론 평양 주민의 실제 삶이 이상적인 것은 아니다. 그러나 평양의 도시 계획만은 원대한 이상을 품고 있었다. 평양설계의 토대가 된 사회주의 도시 모델은 주민의 삶을 개선하는 데에 초점을 맞추고 있다. 급격한 산업화, 도시화의 문제를 해결하고 빈부 격차 없이 동등한 수준의 삶을 누리는 도시를 목표로 삼았다.

그래서 저자는 평양에서, 사회주의 도시에서 배워야 한다고 말한다. 도시화가 끝난 도시들이 생존하고 발전할 수 있는 방향을 평양에서 발견한다. 탈산업 시대, 성장을 멈춘 도시를 산업화 시대의 재개발 논리로만 재생시킬 수는 없기 때문이다. 이제는 공동체와 구성원, 생산과 주거가 공존하는 도시를 상상할 수 있어야 한다.

평양은 선진국 도시들처럼 첨단 기술이 도입되는 실험의 장은 아니다. 하지만 평양의 도시 계획에는 공동체와 자생이라는 철학이 담겨 있다. 앞으로 필요한 것은 편리한 기술만이 아니라 새로운 삶의 가치를 반영한 도시다. 저자의 말처럼, 도시가 안고 있는 문제들을 무시하고 기술적으로만 진보한다면 진정한 의미의 미래 도시라고 할 수 없다. 우리는 어떤 삶을 꿈꾸는가. 미래 도시를 위한 질문은 여기에서 출발해야 한다.

곽민해 에디터